D1483742

UNE ENFANCE TIBÉTAINE

TENZIN KUNCHAP
avec Nanon Gardin

UNE ENFANCE TIBÉTAINE

PRESSES DU CHÂTELET

Un livre présenté par Éric Lebec.

Si vous souhaitez recevoir notre catalogue et
être tenu au courant de nos publications,
envoyez vos nom et adresse, en citant ce
livre, aux Presses du Châtelet,
34, rue des Bourdonnais 75001 Paris.
Et, pour le Canada, à
Édipresse Inc., 945, avenue Beaumont,
Montréal, Québec H3N 1W3.

ISBN 2-84592-135-7

À toutes les Mo-la du Tibet.

Le lecteur trouvera ci-dessous, en guise de présentation, les noms familiers des membres de ma famille et de quelques autres habitants de Pomdo qui jouèrent un rôle de premier plan au cours de mon enfance :

Grand-mère : Mo-la.

Maman : Ama-la.

Papa : Chotil (Pa-la).

Grand frère aîné : Choto.

Grand frère ami : Nyiko.

Sœur aînée : Ané.

Mes meilleurs copains : Makhopa, Nonorpa, Metipa.

Notre maître d'école cruel et sadique : Choko, dit Shangor Lothe (tête à l'est, regard au sud).

Le « croque-mort » du village (*ragyapa* en tibétain) : Lowan.

Un vieux sage du village, qui nous apprit à jouer aux osselets : Pelingsten.

Le chef du comité du village, fonctionnaire communiste : Lodrolpa.

Préface

LE DALAÏ-LAMA

L'enfance villageoise de Tenzin Kunchap, telle qu'il la dépeint dans ce livre, nous révèle une période cruciale de l'histoire du Tibet, celle des années 70 et du début des années 80, cette époque où les anciens modes de vie furent brutalement remis en cause.

Le pays subissait la dictature de Mao Zedong, qui régnait jusque sur la plus petite parcelle de terre cultivable et surveillait ce que chacun pensait de son voisin. Les restrictions imposées par la Révolution culturelle pesaient encore lourdement et de nombreuses coutumes et cérémonies étaient prohibées.

Or, malgré leur interdiction, ces pratiques subsistaient dans les mémoires. Ainsi, à la fin de la Révolution culturelle, et plus encore après la mort de Mao, la plupart de ces coutumes fort anciennes – telle la célébration de la nouvelle année ou celle qui consiste à brûler des branches de genévrier en hommage à la vie et à la compassion – furent peu à peu rétablies.

Tout cela, les jeunes de la génération de Tenzin Kunchap ne se le rappellent guère. La plupart d'entre eux se sentaient comme un fétu de paille ballotté entre la modernisation à marche forcée imposée par les Chinois et la vie ancrée dans les valeurs traditionnelles à laquelle tenaient leurs aînés.

La famille de Tenzin Kunchap était l'une de ces familles typiquement tibétaines où les enfants ne savaient trop que penser. Malgré tout, les parents subvenaient aux besoins du foyer et s'efforçaient de pallier les difficultés du quotidien.

Les grands-parents, les grand-mères en particulier, savaient toutefois à quoi s'en tenir. Fidèles à leur vie d'autrefois, elles transmettaient cet attachement aux enfants au moyen de contes dont elles emplissaient leurs oreilles.

Tenzin Kunchap, à son tour, nous transmet les histoires de sa Mo-la. Elles ponctuent son récit et soulignent le contraste éclatant qui sépare le monde de la grand-mère de celui de son petit-fils.

Je n'ai jamais cessé de penser que ceux qui, à l'étranger, se préoccupent du sort du Tibet devraient en appréhender la réalité sur le terrain, afin de se faire par eux-mêmes une idée des changements qui s'y sont produits.

La décision de Tenzin Kunchap, comme celle de tant de ses semblables, de courir les dangers de l'exil en quête d'une vie différente, se passe de commentaires. S'il ne s'y était résolu, serait-il à même, aujourd'hui, de nous montrer, avec l'émotion qui transparaît à la lecture de son récit *Une enfance tibétaine,* combien les fortunes diverses du Pays des Neiges, ces dernières décennies, ont bouleversé la vie des gens ordinaires qui le peuplent?

Tenzin Gyatso,
quatorzième dalaï-lama

Avant-propos

UN TIBÉTAIN À PARIS

J'ai fait la connaissance de Tenzin un jour de l'été 1992. Robert, un ami britannique de ma sœur, lui avait fait traverser les airs jusqu'à Paris. Après avoir fui son pays natal, une épopée qu'il a racontée dans un précédent livre[1], il était une fois de plus en exil, cette fois de l'Inde où il avait trouvé refuge dans un monastère.

Je ne sais si Tenzin a voulu connaître l'Occident, ou si Robert a fait germer cette idée dans sa tête. Toujours est-il que lorsqu'il est arrivé chez nous, béni par le dalaï-lama, Tenzin se sentait toujours moine et à des années-lumière de cet étrange pays qui est le nôtre.

Robert occupait un petit appartement et Tenzin cherchait un asile. Il le trouva quelques mois dans notre maison d'Asnières. La cohabitation n'était pas évidente, pour des raisons linguistiques mais aussi parce que mes enfants, adolescents, ne manifestaient d'intérêt ni pour le Tibet, ni pour le bouddhisme. Quant à notre hôte, il était le plus souvent dehors, poursuivant des activités mystérieuses dont il ne cherchait pas à nous faire part. Auprès de moi, pourtant, il trouvait un refuge, m'appelait « maman », exécutait à mon intention quelques danses et chants sacrés et, me

---

1. *Le Moine rebelle*, Plon, 1998.

voyant souvent occupée à mes fourneaux, me chantait les mérites de la *tsampa*[1], seule nourriture digne de ce nom à ses yeux.

Puis Tenzin trouva un appartement à Paris. Pris en main par la communauté tibétaine de la capitale, il se consacra au récit de sa fuite de Lhassa, de ses séjours dans les prisons communistes et des épisodes dramatiques de sa traversée de l'Himalaya, du Tibet au Népal.

Aussitôt après est venue la reconnaissance. La parution du *Moine rebelle* a valu à Tenzin plusieurs passages à la télévision, des rencontres avec de nombreux journalistes et diverses célébrités. En 2000 lui a été décerné le prix Rachid-Mimouni, qui récompense les auteurs dont l'histoire personnelle ou l'engagement délivre un message de paix, de tolérance et de fraternité.

Bon an mal an, nous étions restés en relation. Tenzin appréciait l'atmosphère familiale et souhaitait « faire quelque chose » avec moi. D'où ce livre, qui n'est pas le récit d'une évasion que d'autres ont tentée avant et après lui, mais qui rassemble les souvenirs d'une enfance tibétaine comme il n'y en aura sans doute plus. Une enfance coincée entre le silence d'une famille dont la foi et les croyances furent mises sous le boisseau et la rigueur d'un régime autoritaire subi par des parents contraints au silence par crainte de la répression. C'est l'histoire d'un peuple paisible troublé dans ses coutumes, malmené par une idéologie étrangère, appauvri par des innovations catastrophiques pour une économie jadis assez prospère. C'est l'histoire d'un enfant parmi tant d'autres, auquel est imposée une vision du monde constituée de héros, d'un guide tout-puissant, qui offre un certain

---

1. *Tsampa* est à la fois le nom de la farine d'orge grillée et de la préparation dont elle est l'ingrédient de base.

accès à la culture, et à laquelle il est facile d'adhérer quand on est petit… mais qui n'est pas la sienne. Cet enfant, chaque jour, regagne un foyer où l'on essaie de vivre comme avant, de faire abstraction du présent, où seule la grand-mère accepte encore, de temps en temps, de lever pour ses petits-enfants le voile du souvenir et de la tradition.

Je n'ai pas toujours cru les anecdotes que me racontait Tenzin. Jusqu'au jour où je suis allée voir par moi-même ce qu'il en était, quinze ou seize ans après son départ. Le Lhassa d'aujourd'hui m'a réservé bien des surprises, mais le Tibet de Tenzin est toujours là, malgré l'envahisseur et les tentatives de normalisation émanant du régime de Pékin. L'âme tibétaine s'est sans doute repliée pour un temps, mais ses racines sont solidement ancrées dans le sol. Elles ont résisté à l'extraction, et les Chinois ont fini par comprendre qu'elles demeureront.

Aujourd'hui, Tenzin vit à Paris. Il est indépendant. Il a créé une association qu'il a baptisée de son prénom, Akönpa. Son objectif : organiser des jeux sportifs regroupant des disciplines non représentées aux olympiades officielles. La préparation est longue et difficile, mais il y croit. Il a un but. Il aboutira peut-être un jour.

Nanon GARDIN

1

UNE VOCATION PRÉMONITOIRE

Apprends comme si tu devais vivre
pour toujours et vis comme si tu devais
mourir ce soir!

Proverbe tibétain

Nous sommes au cœur de l'hiver. Mo-la, ma grand-mère, m'a envoyé chercher du bois dans la montagne avec mon frère Nyiko. Comme d'habitude, mon copain Makhopa nous accompagne. Depuis qu'il n'y en a plus à proximité du village, la corvée de bois est devenue une expédition. Les Chinois sont passés par là. La forêt qui cernait notre village était naguère riche d'herbes et de racines dont notre médecine traditionnelle fait grand usage. Jugeant sans doute que ces trésors étaient non seulement inutiles mais nuisibles, les Chinois y ont simplement mis le feu. À vrai dire, on ne sait si l'incendie fut volontaire ou non. Certains disent qu'un mégot mal éteint l'a déclenché. À la place, ils ont planté des sapins qui n'ont jamais poussé. Si bien qu'aujourd'hui, il faut aller chercher le bois à cinq kilomètres de là, au flanc de la montagne du Nid des Vautours.

Nous voici tous les trois attelés tour à tour à notre charrette, escaladant la pente. Le bois que nous partons ramasser a des vertus particulières. D'abord, il sert à

17

nous chauffer et à faire cuire la soupe ; ensuite, il constitue pour les villageois une excellente monnaie d'échange avec les nomades qui passent deux fois l'an. Une fois le bois brûlé, nous amalgamons les cendres avec de l'eau. Cette bouillie sert à former de petites galettes grises qu'ils nous achètent pour les mélanger au tabac à priser. Mon père lui-même coupe son tabac de cendre de *sewa*. Seul le bois de cet arbre est inoffensif. Toute autre essence, mêlée au tabac, irrite le nez et donne des boutons. Le *sewa*, au contraire, possède des vertus curatives, notamment pour les voies respiratoires.

L'arbuste que nous appelons *sewa* ne pousse ni dans le nord ni dans le sud du Tibet, mais seulement aux environs de Lhassa, la capitale. Il ne dépasse guère deux mètres de hauteur et son tronc n'est pas bien gros : jamais plus de cinq centimètres de diamètre. Les jeunes pousses, que l'on mange crues ou cuites, ont un goût très puissant.

Pour comprendre ce commerce très particulier, il convient de faire plus ample connaissance avec cette population qui passe l'année à parcourir le Tibet, accompagnée de ses troupeaux de yacks et de chevaux.

Au printemps, les nomades qui descendent du nord apportent aux gens du sud le sel recueilli sur les rives des grands lacs saumâtres des hauts plateaux, ainsi qu'une poudre blanche, le borax, que nous appelons *butho*. Elle nous sert à faire lever la pâte et à corser le thé. Sur la route de Lhassa, ils ont donc quantité de choses à vendre : beurre de yack, yacks sur pattes, viande de yack et de chèvre séchée, *butho* et sel.

L'argent, du moins à la campagne, circule peu entre les nomades et leurs clients. Ainsi, les galettes de cendre sont une de nos monnaies d'échange. À Lhassa, en revanche, lorsqu'ils ont vendu leurs marchandises, ils achètent les vêtements et les ustensiles dont ils ont besoin. Puis ils reprennent la route du nord avec la dizaine de yacks qui leur reste des cinquante qu'ils y ont conduits.

Le yack domestique des nomades est assez différent de l'espèce sauvage, qui vit dans les déserts d'altitude. Dompté depuis des millénaires, cet animal est essentiel à la vie au Tibet. À la campagne, sa bouse est le seul combustible. Le mâle fournit sa viande, sa laine et son cuir – tout comme la femelle, qui en plus porte des charges et s'attelle à la charrue. Son lait, riche en crème, donne le beurre que l'on conserve dans des outres en peau de mouton. Fondu dans du thé salé, c'est la boisson nationale. Plus tard, ce beurre me sauvera la vie. Lors de ma dernière évasion du Tibet, à moitié gelé, je serai récupéré par des montagnards qui n'hésiteront pas une seconde à m'enduire de beurre brûlant. Un traitement efficace, mais atrocement douloureux, qui me laissera écarlate, mais vivant !

À l'automne, les nomades entreprennent un nouveau voyage vers le sud. Ils refont leur apparition chargés de sel, de laine, de fromage et de peaux de chèvres, mais ce qu'ils rapportent cette fois joue dans leur économie un rôle bien plus crucial que la cendre : la récolte de l'orge finie, le grain battu et tamisé. Ils viennent faire le plein de farine pour l'année.

Les nomades forment une population parfaitement assimilée, d'autant mieux que les autres Tibétains aiment aussi voyager et passer l'été sous la tente. Les moines se mettent volontiers en route pour des pèlerinages, à la différence des religieux occidentaux qui s'enferment dans leurs cloîtres. Tous ces voyageurs sont reçus comme une bénédiction par les sédentaires. Devant la maison, un auvent les accueille pour la nuit, bien au chaud dans des couvertures. Lorsque je partirai vers l'Inde, fuyant la persécution chinoise, je trouverai moi aussi refuge chez les nomades et les villageois. Bien sûr, les Chinois apprécient peu cette coutume et tentent de surveiller cet immense vagabondage. Certains hôtes sont des informateurs rémunérés, prêts à la trahison la plus sordide. Au cours de mes périples, pour mon malheur, j'aurai l'occasion de tomber sur l'un de ces lâches.

Les Tibétains savent conjuguer le profane et le sacré. Les pèlerins sont aussi marchands ambulants. Quand on les rencontre, on leur pose toujours la question coutumière : « Qu'as-tu à me vendre ? » Le pèlerinage le plus vénérable est aussi une expédition commerciale. L'art de négocier les prix fait partie de notre vie de débrouillardise. Après tout, nos rituels sont-ils aussi sans doute une forme de marchandage spirituel et mystique…

Parvenus à pied d'œuvre, à peine sommes-nous à l'ouvrage que nous apercevons trois chevaux grimpant lentement derrière nous, à flanc de montagne. Sur l'un d'eux, un mystérieux ballot allongé ; sur un autre, Lowan, un homme de notre village ; et sur le troisième, un homme que nous ne connaissons pas. Soudain, une nuée de vautours obscurcit le ciel et vient tournoyer au-dessus du trio, avant de se poser lourdement à côté. Glacés d'horreur, nous comprenons alors que le mystérieux chargement n'est autre qu'un cadavre, et l'inconnu un parent du mort. Lowan occupe en effet dans le village la fonction de « croque-mort », ou *ragyapa*[1]. Un peu sorcier, un peu

---

1. Le *ragyapa* est celui qui transporte les cadavres jusqu'au « cimetière », c'est-à-dire un lieu isolé dans la montagne, à l'écart du village, et les découpe en morceaux pour livrer leur chair et leurs os aux vautours. L'ensemble de la cérémonie se nomme « funérailles célestes ».

moine, un peu technicien de la mort, c'est lui qui est chargé d'expédier les défunts vers l'au-delà dans les meilleures conditions.

Les deux hommes descendent le cadavre, étroitement enveloppé dans des linges, puis l'allongent sur une large pierre et détachent ses pieds et ses mains, liés par des lambeaux de tissu. Nous sommes cloués sur place par ce terrible spectacle. Lowan extirpe du bât de son cheval un énorme paquet de farine d'orge grossière, trop vieille pour être consommée, et en recouvre entièrement le corps. Puis il s'assied à quelque distance du cadavre et se met à réciter des prières.

Je me serre contre mon frère et mon copain, pendant que Lowan se relève et se saisit, de la main gauche, d'une queue de yack et d'un os long – un fémur humain, m'expliquera plus tard Mo-la –, et de la droite d'une clochette. Il amorce alors une danse lente autour du cadavre en soufflant dans son os, tandis que le frère du mort agite énergiquement un bâton au-dessus de leurs têtes pour empêcher les vautours d'approcher.

Une fois la danse achevée, Lowan s'arme d'un grand couteau. D'un seul coup, il tranche la tête du cadavre et la cache, enroulée dans des chiffons, près des chevaux. Puis il commence à découper soigneusement le pauvre mort en une dizaine de morceaux. Pendant ce temps, un peu plus loin, le frère du mort allume un feu qui sert de signal aux charognards.

À table ! Deux ou trois vautours plus hardis que les autres se précipitent. On raconte ordinairement que, si le cadavre n'est pas « bon », les vautours disparaissent tous à ce moment précis. Mais ceux-là font place nette. Peu après, il ne reste sur les lieux que quelques ossements soigneusement nettoyés.

L'horreur véritable ne vient qu'ensuite, même si j'en parle aujourd'hui avec sérénité. Après tout, c'est aussi cela, la tradition : le respect des rites, la réalisation de croyances spirituelles dans des pratiques qui peuvent sembler étranges à ceux qui ne les partagent pas. À l'époque, je ne connaissais rien de ces croyances. Je les ai découvertes ainsi, au hasard d'une corvée de bois, dans leur épouvantable solennité.

Notre Lowan a ramassé les os et repris la tête où il l'avait cachée des vautours. Il la dépose dans un creux de la pierre. À l'aide d'un gros bâton, il entreprend de l'écrabouiller au fond du trou, mélangée à de la farine. Il besogne tant et si bien qu'au bout de quelques minutes, tout est réduit en bouillie. Les deux hommes s'écartent de nouveau. Aussitôt, les vautours se jettent dessus. En quelques secondes, tout est avalé.

La haute montagne et ses grands oiseaux retrouvent leur silence. Un homme s'est fait nourriture dans l'immense chaîne de la vie. Son corps ne s'est pas dégradé. Il faut au *ragyapa* une grande expérience pour que tout se passe aussi vite.

Comment les Chinois, jadis confucianistes, aujourd'hui marxistes, comprendraient-ils l'attitude des Tibétains devant la mort ? Pour eux, c'est le plus grand des malheurs. Mais nous autres, qui croyons à la réincarnation, nous savons qu'elle n'est pas une disparition. Mieux encore, la souffrance nous purifie et nous vaut des mérites qui nous assurent une bonne vie future. Je n'avais que six ou sept ans quand j'ai croisé la mort pour la première fois. J'ai vu mourir devant moi, dans les bras de ma mère, un petit frère âgé de quelques mois. Ama-la m'a aussitôt rassuré : les tout-petits se réincarnent très vite, m'a-t-elle dit. J'étais consolé.

D'autres personnes se réincarnent volontairement, alors qu'elles ont atteint l'Éveil. Elles pourraient quitter la chaîne des vies où elles étaient enfermées, la roue du *samsara*. Par compassion, elles choisissent de renaître parmi nous pour faire profiter les hommes de leur enseignement et de leur exemple. Ce sont les *bodhisattvas*, des êtres promis à l'Éveil. Certains bouddhistes regardent Jésus et d'autres chrétiens comme des *bodhisattvas*. La grande différence est que nous ne croyons pas en l'existence d'un Dieu créateur et unique. Les Chinois ont massacré les moines bouddhistes sans comprendre que leurs crimes étaient autant de coups d'épée dans l'eau. Quant aux Tibétains, ils restent hantés par cette question sans réponse : pourquoi tant de souffrances ? Qu'avons-nous fait, peuple pacifique entre tous, pour mériter tant de malheurs ?

Lowan, dont la tâche est terminée, s'aperçoit soudain de notre présence. Le spectacle auquel nous venons d'assister a décuplé notre habituelle faiblesse, causée par la faim. Aussi le brave croque-mort nous invite-t-il à un festin de galettes et de viande séchée. Ce repas inattendu lui confère un prestige aussi exceptionnel qu'inopiné. Lowan nous explique l'importance de son rôle ; s'il ne manque jamais de pitance, nous apprend-il, c'est que les villageois ne peuvent se passer de ses services. Chargé de nourrir les vautours, il est lui-même bien nourri par les hommes.

Il nous expose aussi les raisons de cet étrange rituel. La farine d'orge sert à éponger et à cacher le sang, pour qu'il demeure invisible. Si l'on garde la tête et les os pour la fin, c'est qu'il convient d'attendre que les vautours aient fait leur première besogne pour pouvoir broyer les os. Quant à la danse rituelle, elle permet d'alerter et de se concilier les gardiens du « cimetière », lequel, au Tibet, est un lieu plus ou moins sacré en fonction du nombre de gardiens invisibles qui y veillent sur les morts. Le nôtre en a deux, ce qui en fait un territoire très sacré puisque aucun cimetière n'a plus de trois gardiens.

Nous poursuivons notre interrogatoire. Lowan nous parle du pèlerinage des moines. Ceux qui souhaitent atteindre l'Éveil doivent, après trois ans, trois mois et trois jours de retraite, suivre un itinéraire qui les conduit auprès de cent huit sources sacrées et de cent huit cimetières qu'il leur faut respectivement visiter au soleil levant et au soleil couchant. Les moines proches de l'Éveil ont la capacité de voir les gardiens. Lowan lui-même, s'il ne les voit pas, peut communiquer avec eux et les appeler en jouant d'une flûte taillée dans un fémur humain. Les moines pèlerins se livrent au même rituel, accompagné de prières et de danses, et cheminent ainsi de source en cimetière et de cimetière en source. On raconte que l'aspect du gardien est si terrifiant que, parfois, le pèlerin meurt d'une crise cardiaque à sa vue.

Chez nous, la journée se divise en plusieurs parties qui correspondent à différents domaines. Le matin est celui des vivants. À la tombée de la nuit, vient celui des morts. Vers 23 heures, on entre dans le domaine des dieux inférieurs, puis, à 3 heures, dans celui des dieux supérieurs. Tout rêve que l'on fait entre 3 et 4 heures du matin a toutes les chances de se réaliser.

Le récit de Lowan m'enthousiasme. Sa vie m'apparaît soudain merveilleuse, baignée de sacré et de mystère… Et garante d'un ventre bien rempli ! Pourquoi fait-il ce métier ? Donner son corps est la dernière offrande qu'un homme puisse faire à la nature, me répond-il, heureux de pouvoir servir d'intermédiaire à cette opération.

Nous nous séparons enfin de Lowan et de son compagnon qui redescendent au village tandis que nous reprenons notre récolte de bois mort. Nous rentrons au village, la tête et les yeux emplis d'images nouvelles qui m'éblouissent et font un peu ricaner mon frère Nyiko.

Mo-la se dépêche d'allumer le feu pour chauffer la soupe. Nous discutons de ma nouvelle vocation : je veux être croque-mort, comme Lowan !

— Tu es complètement fou ! me dit Nyiko. C'est le pire métier du monde ! Les *ragyapas* ne sont pas comme tout le monde. Au village d'Urulung, le *ragyapa* habite une maison entièrement recouverte de cornes de yacks et de béliers. Tout le monde a peur de lui ! Tu ne veux quand même pas faire un métier qui fasse penser tout le monde à la mort ! Et puis, les *ragyapas* sont isolés, pire que les forgerons, personne ne veut épouser leurs enfants. Si tu as des fils, ils seront forcément *ragyapas*, comme toi !

— Peut-être, mais je n'ai pas envie de mourir de faim, et le *ragyapa* a toujours de quoi manger !

— Mes enfants, ne vous disputez pas, intervient Mo-la. Lowan fait un métier nécessaire, ancré dans une tradition très ancienne. Il nous est encore plus utile que le *ngakpa*, qui lance des boulettes d'argile pour écarter la grêle.

Je me lance alors dans une nouvelle série de questions :

— Après la mort, qu'y a-t-il ? Lowan nous a parlé des esprits : comment sont-ils ? de quelle couleur ?

Mo-la me gratifie d'un long discours qui me tient cloué sur place pendant un bon moment, et qui nourrira longuement mon imagination.

— Ce qui compte le plus, Akönpa, me dit-elle, c'est d'avoir une bonne mort. Il faut être aussi éveillé que possible lorsqu'elle se présente. C'est pourquoi les membres de la famille se rassemblent autour du mort pour le maintenir éveillé. Puisqu'il n'atteint sa destination finale qu'au bout de quarante-neuf jours, il faut l'aider en lui récitant les textes du *Bardo*[1] *Thödol*, pour lui assurer une bonne réincarnation. Le *bardo*, c'est l'intervalle entre deux états. Le plus important, bien sûr, est celui qui sépare la vie de la mort. Il faut avoir la volonté d'en sortir. C'est pourquoi le moine aide le mort à franchir ce pas en lui récitant des paroles comme celles-ci :

> *Noble fils, ce qu'on appelle la mort est arrivé pour toi.*
> *Tu dois partir loin de ce monde.*
> *Ton sort est celui de tous.*
> *Ne t'accroche pas à cette vie.*
> *Même si tu t'y attaches, tu ne peux plus rester ici.*
> *Il te faut maintenant errer dans le cycle des existences.*
> *Ne résiste pas.*

On ne meurt pas d'un seul coup, poursuit Mo-la, mais en plusieurs étapes. La respiration s'arrête d'abord, puis, petit à petit, rien ne fonctionne plus. Enfin, la lumière de l'esprit s'éteint. Mais l'esprit, c'est de l'air. Personne ne connaît la couleur de l'esprit. Après avoir disparu, la lumière renaît dans l'espace. Le mort sait alors qu'il est mort et peut se réincarner dans un nouvel être. Certains morts, cependant, ne renaissent pas dans l'espace et ne se réincarnent pas. Ils résistent et, dans le pire des cas, deviennent des fantômes condamnés à errer pour toujours, souffrant

---

1. Le mot *bardo* signifie intervalle. Pour les bouddhistes tibétains, la vie est faite d'états intermédiaires, par exemple d'un clignement de l'œil à l'autre, mais le plus important est évidemment celui qui sépare la vie de la mort, dont la durée est de quarante-neuf jours, date à laquelle le sort du défunt est définitivement réglé.

de faim et de soif pour l'éternité. Un *shaman* peut pratiquer un test pour savoir si un mort est devenu fantôme ou s'est réincarné.

— Comment ça se passe ? Raconte, Mo-la !

— Quarante-neuf jours après la mort, on sait que l'âme a atteint sa destinée. La famille se réunit en cercle autour d'une cuvette remplie de sable pour pratiquer un rituel, appelé *gensick*, qui permet de savoir ce qu'est devenu le défunt. Un *shaman* et un moine doivent être présents. Le *shaman* note sur un papier le nom du mort, sa date de naissance et un résumé de sa vie, ainsi que la date de son décès. Il exécute alors une danse rituelle pour évoquer l'esprit du mort, puis il met le feu à son papier. S'il se consume entièrement, tout est bien. Si un coup de vent ou quelque autre hasard vient à éteindre le feu, il y a tout lieu de croire que le mort est devenu fantôme. Un second test permet de le confirmer : la recherche d'un pas dans le sable. Si l'on en voit un, c'est la preuve certaine que le mort ne s'est pas réincarné. Il faut alors lui venir en aide. Pour cela, le *shaman* entre en transe et l'esprit du dieu vient l'habiter. Le moine qui assiste à la scène demande alors à l'esprit du mort de se manifester et lui parle en ces termes : « À partir de maintenant, tu es mort, ton corps visible n'est plus. Tu dois aller dans l'invisible de la lumière blanche pour trouver le chemin de ta réincarnation. Tu rencontreras d'abord une grande rivière, qu'il te faudra traverser. Pour cela, l'animal laissé vivant pendant tout le temps de ton deuil te prendra sur son dos. Puis tu parviendras à un pont très étroit, si étroit que tu ne pourras passer dessus. Les bonnes actions accomplies au cours de ta vie élargiront ce pont et, quand tu l'auras franchi, tu verras venir à toi la lumière blanche et tu trouveras le chemin de ta prochaine vie. »

— Mo-la, qu'est-ce que l'animal « laissé vivant » ?

— C'est une coutume très ancienne. On peut offrir un animal aux dieux. Il ne sera jamais tué. Imagine, par exemple, que tu dédies un yack aux dieux. Autrefois, on demandait à un lama de pratiquer cette cérémonie, mais chacun peut le faire pour soi. Tu prépares quatre petites bandes de tissu de couleur que tu attaches aux oreilles, à la tête et à la queue du yack. Ensuite, tu répands un peu de *tsampa* sur son dos en récitant une prière. Puis tu lui choisis un nom, celui d'un lac ou d'une montagne. Enfin, tu lui frottes la tête, le dos et la queue de *tsampa* mêlée à du beurre. À partir de ce jour, l'animal est sacré et nul ne peut plus lui ôter la vie. Il continuera à faire partie du troupeau, mais il mourra de sa mort naturelle.

— Et peut-on dédier un cochon aux dieux ?

— Bien sûr ! C'est même bien plus méritoire, car le yack ou la vache ont des chances de finir leurs jours naturellement, tandis que le cochon, s'il n'est pas voué aux dieux, est sûr de finir mangé !

Grand-mère a terminé pour aujourd'hui, mais toutes ces histoires inquiétantes tourbillonnent dans ma tête. Je me couche près du poêle où se consument les bouses de yack séchées. Me voici prêt pour une nuit agitée !

Le lendemain, il fait encore nuit quand je me lève pour me rendre à la maison de Lowan.

— Lowan ! C'est Akönpa. Je veux te parler.

— Reviens plus tard, je dors !

Sur le chemin du retour, en bas du village, j'aperçois un cheval mort sur le bord de la route. Une idée diabolique me traverse l'esprit : voyons si je ferais un bon croque-mort ! Je cours précipitamment à la maison, j'attrape un couteau et je reviens près de la carcasse.

Le jour se lève à peine. Dans la demi-obscurité, j'entreprends de trancher une patte. Bien entendu, je n'arrive à rien et dois rentrer la tête basse. Qui pis est, je me suis mis en retard ; le maître d'école ne veut pas me laisser entrer et, pour ma punition, m'ordonne de nettoyer les toilettes ! Encore une fois, je vais devoir ramasser la crotte qui s'écoule tout le long du caniveau en béton et la mettre dans un panier pour que le maître puisse fumer ses choux...

Révolté contre l'école, contre la misérable vie que nous menons, je suis de plus en plus décidé à devenir l'apprenti de Lowan. Je serai croque-mort au milieu des vautours et je n'aurai plus jamais faim ! Je mangerai des galettes et de la viande séchée tout en faisant une bonne œuvre qui me vaudra des mérites ! L'incompréhension de mon frère et de ma famille m'étonne : c'est pourtant une bonne idée...

Le nez penché sur la rigole des toilettes, je rumine mon destin tout tracé...

2

ORIENT ROUGE ET PIERRES GRISES

> *Parmi les caractéristiques de la Chine*
> *et de ses 600 millions d'habitants, l'une*
> *des plus frappantes est la pauvreté et le*
> *dénuement. Choses mauvaises en appa-*
> *rence, bonnes en réalité. La pauvreté*
> *pousse au changement, à l'action, à la*
> *révolution. Une feuille blanche ouvre*
> *toutes les possibilités; on peut y écrire ou*
> *y dessiner ce qu'il y a de plus nouveau et*
> *de plus beau.*
>
> Mao Zedong, présentation
> d'une coopérative, 1958

L'école de mon village, Pomdo, est sortie de terre voici quelques années. Comme tant d'autres enfants du Tibet et d'ailleurs, je vais y perdre mes illusions et y apprendre à lire. Pour notre malheur, le bâtiment de pierres grises se dresse au bord de la rivière Taklung Paktchou, qui descend la vallée du Tigre. Un des châtiments préférés du maître consiste à nous envoyer jambes nues dans l'eau glacée pendant un temps indéterminé, de préférence en plein hiver. Tous ensemble, debout dans la rivière, nous récitons les pensées de Mao, la main gauche levée. Qu'un seul hésite, le maître le fait descendre plus profond, tant il est vrai que « le bon communiste est un héros qui ne craint pas le froid ». Pendant ce temps, l'un d'entre nous brandit le portrait de Mao au-dessus de sa tête, face au coupable.

Chanté à tue-tête par les écoliers, l'hymne retentit :

Dongfang hong, taiyang sheng,
L'Orient est rouge, le soleil se lève,
La Chine a vu naître Mao Zedong,
Il œuvre pour le bonheur du peuple,
Il est la grande étoile sauvant le peuple.
Le président Mao aime le peuple,
Il est notre guide...

Malgré l'eau glacée, l'air est entraînant et les paroles nous plaisent. La musique est celle des films qui nous sont montrés à la belle saison, en plein air. Nous sommes tous transportés par l'exemple des héros communistes. Le châtiment corporel des enfants est fréquent dans la société tibétaine, mais de toute façon la vie est dure et nous sommes résistants. Plus tard, en prison, on me soumettra encore au supplice de l'eau glacée. On laissera ruisseler l'eau sur mon corps, debout dans le vent. Alors, ce n'est plus « Soleil rouge » que je chanterai dans mon cœur contre le froid mortel, ce n'est pas le portrait retouché de Mao que je verrai avec toute la force de mon imagination, et j'appellerai toutes les couleurs de l'arc-en-ciel à mon secours.

Je n'étais pas encore né quand les responsables du comité ont décidé de créer à Pomdo l'école où je devais apprendre la rudesse de la vie. Ses portes se sont ouvertes quand mon grand frère Choto était en âge de la fréquenter. Avant l'invasion chinoise, personne ne se souciait de l'éducation des paysans. D'ailleurs, presque tous les anciens du village étaient illettrés. Tout au plus, maintenant que les monastères étaient vides et que les anciens moines étaient rentrés chez eux, comptait-on quelques liseurs dans les villages, la plupart des familles ayant envoyé au moins un de leurs enfants au monastère pour qu'ils apprennent à lire et à écrire.

Les Chinois voient les choses différemment : il est de leur devoir absolu de faire connaître à ces sauvages de Tibétains la pensée de Mao. Et il n'y a qu'un moyen d'y parvenir : les embrigader dans des écoles dont l'unique objet d'études est la lecture des œuvres du Grand Timonier. Bien sûr, on y apprend par la même occasion à lire et à écrire, mais les élèves sont censés quitter les bancs de l'école la tête farcie des pensées du Guide, de telle sorte que la science, l'idéologie, le plaisir d'apprendre, tout se confonde dans le grand tout du communisme chinois.

Nous sommes répartis en fonction de l'histoire de nos familles. La mienne est réputée bourgeoise : je figure donc parmi les « mal placés », les maudits promis aux pires traitements. Nous avons commencé par nous asseoir au hasard, au gré de nos amitiés d'enfants. Puis, ayant appris qui nous étions, le maître a placé au premier rang les fils de travailleurs et de membres du parti. J'ai été relégué au fond avec d'autres, punis par principe.

Arrivé à l'école plein de joie et d'excitation à l'âge de sept ans, je vais y apprendre la lâcheté, la vengeance et la haine. J'y découvre par exemple que je suis mal habillé. Mes chaussures, surtout, sont des galoches percées qui me retardent sur le mauvais chemin de pierres.

Après la classe, nous rentrons au logis. Les maisons de Pomdo sont en pierre, pourvues d'une cour et le plus souvent cernées d'un mur d'enceinte carré haut d'un mètre cinquante à deux mètres. Les villageois les plus riches recouvrent les parois intérieures d'adobe, mais la plupart se contentent de la pierre nue, grossièrement jointoyée. Il s'agit avant tout d'empêcher l'air de filtrer.

Pour protéger les murs de la pluie, les bâtisseurs tibétains ont recours à des techniques originales. Tout d'abord, on pose à même les poutres une bonne épaisseur de branches, coupées à ras du mur, afin d'assurer une bonne isolation. Puis on dispose sur le rebord du toit une rangée de pierres plates en porte-à-faux, sur lequel on installe ensuite un bourrelet de plaques de turf, qui se recouvrent comme des tuiles. Enfin, on étale sur toute la surface une épaisse couche de pisé, mélange d'argile et de paille, que l'on foule longuement aux pieds pour assurer une parfaite étanchéité.

Le toit a une fonction très importante : c'est lui qui supporte la réserve de foin qui servira à nourrir les bêtes et à isoler la maison de l'hiver glacial. Les fenêtres ne sont pas vitrées ; elles sont équipées de volets peints en noir, selon la tradition *bön*, l'antique religion des Tibétains, comme l'est aussi le pourtour des fenêtres. Devant chaque maison ou presque, l'auvent sert souvent de chambre en été.

À côté de la porte d'entrée se trouve un *sangkok*, petit foyer conique en argile qui sert à brûler de l'encens sur quelques branchages. Les divinités ont droit à deux fumigations, une le matin avant le lever du soleil, l'autre le soir, au crépuscule. Nous sommes particulièrement bien placés, au pied de la falaise, pour que la fumée atteigne directement les petits autels de Yangmara et Gungara, génies protecteurs de Pomdo, en surplomb de notre maison. De là, les volutes s'élèvent jusqu'aux divinités supérieures telles que Chenresig, grand bienfaiteur des Tibétains. Une fois le petit feu allumé, mon père Chotil, Mo-la ou Ama-la récitent une prière comme celle-ci :

Je me prosterne devant toi, grand maître,
Toi qui montres le chemin de l'Éveil,
Toi qui dis le Dharma.
Tous les vivants recherchent le bonheur,
Aide-nous dans cette quête !

À mon retour de l'école, mes parents ne sont pas encore là, retenus par les tâches harassantes qui les accablent. Ils sont d'ailleurs partis très tôt dans la nuit, avant mon réveil. Mon père est vétérinaire. Il s'absente souvent quelques jours auprès des troupeaux. Ma mère est enrôlée dans une brigade qui « déchire la montagne » : elle prépare des terrasses où seront plantées de nouvelles cultures. Un travail aussi éreintant qu'inutile. C'est donc Mo-la qui m'accueille et s'enquiert de ma journée. Elle me raconte des histoires qui me transportent loin de ces journées grises, de mes parents si tristes et de mon ventre qui crie famine. Un soir, après l'avoir écoutée, je lui demande :

— Mais dis-moi, Mo-la, dans tes histoires, il est toujours question de princes, de royaumes, de déesses... Il n'y a que toi qui me parles de ces choses. À l'école, on ne nous parle pas de princes, mais de soldats, de pionniers, de héros. Et moi, qui deviendrai-je quand je serai grand ?

Mo-la me serre dans ses bras sans répondre, mais, du coin de l'œil, je vois bien qu'elle ne peut s'empêcher de sourire. Elle ne quitte plus la maison, toute tassée mais si bonne, si lumineuse. C'est elle qui me réveille le matin, avec un bol de thé bouillant bien beurré. Je dors avec mon frère. Nous essayons de nous tenir chaud, sous des fourrures de yacks. Grand-mère est l'adulte qui nous élève pendant que nos parents travaillent. En Europe, je découvrirai que beaucoup d'autres enfants sont eux aussi éduqués par leur grand-mère, tandis que leurs parents sont au travail. Je me sentirai plus proche de ceux qui ont été élevés dans le communisme, comme moi, mais aussi dans les traditions spirituelles de leur pays. Dans les sociétés matérialistes, les grands-mères sont regardées comme quantité négligeable. Quelle grande erreur ! Leur culture et leur expérience en font des êtres précieux pour les enfants, qui sont l'avenir de tout pays.

Les communistes chinois ont établi un rationnement par « points », parcimonieusement distribués. Tout le bétail, toute production en fait est collectivisée. Impossible d'y accéder hors du système des distributions. Malgré leurs privations, nos parents n'ont même pas de quoi nous nourrir. Et nous ne pouvons pas traire le lait des *dris*, puisque notre troupeau, la « richesse noire », a été confisqué.

Moi, je ne pense qu'à manger. Mon enfance, comme celle de mes petits camarades, est placée sous le signe de cette obsession : la faim. Je comprends aujourd'hui combien mes parents étaient tristes de ne pouvoir nous nourrir, ni nous parler. Et, pour le moment, nous ne sommes nourris que de bonnes chansons :

> *L'Orient est rouge, le soleil se lève,*
> *La Chine a vu naître Mao Zedong,*
> *Il œuvre pour le bonheur du peuple,*
> *Il est la grande étoile sauvant le peuple.*
> *Le président Mao aime le peuple,*
> *Il est notre guide,*
> *Pour créer une Chine nouvelle,*
> *Il nous montre la voie de l'avenir.*
> *Le parti communiste est comme le soleil,*

Son éclat apporte partout la lumière,
Là où il y a le parti communiste,
Le peuple obtient la libération.

Un avenir qui ne viendra jamais...

Mes parents ont eu la bienveillance de m'appeler Akönpa. *A* est la première des lettres de l'alphabet, le son fondamental, le premier qu'émette le bébé. C'est le sommet de la parole. La syllabe *kön* signifie « rare », on la retrouve d'ailleurs dans le mot « dieu » (rien que ça !) ; ainsi, les dieux du bouddhisme s'appellent Dkön-chog. Quant à *pa*, cette syllabe signifie simplement « vivant, être humain », par opposition à *wa* qui veut dire « chose » ou « être non vivant » (*pa* désigne aussi le lieu où habitent les hommes, c'est-à-dire la maison). Je suis donc voué d'emblée à être un « homme rare » : lourde charge, surtout pour un petit garçon assez sauvage et rebelle ! Toutes ces responsabilités, je les assumerai plus ou moins bien au sein de la famille Zongpa : ma famille.

Étant enfant, je trouvais normal et réconfortant que chacune des familles que nous fréquentions quotidiennement porte un nom évocateur d'une chose concrète : caractéristique géographique, statut social ou professionnel, trait physique ou moral, ou encore une des divinités favorites de la famille. Aujourd'hui, cela me paraît remarquable. Ainsi, mon nom de famille, Zongpa, signifie « forteresse ». Il n'y a pas très longtemps, j'ai réalisé que c'était jadis l'usage en France : tous les Dubois, les Dupont, les Têtu, les Lechanteur et les Legros avaient été nommés un jour de cette même façon. Chez nous, cette tradition s'est perpétuée, si bien que le nom d'origine se trouve souvent remplacé par le nom plus récent qui désigne l'emplacement, l'aspect de la maison ou de ses habitants.

Mon village, Pomdo, est situé à une centaine de kilomètres au nord de Lhassa. Il s'étend le long d'une vallée dominée par des montagnes où les bergers, à la belle saison, gardent les yacks, les chèvres et les vaches de la commune. Cette montagne, il faut sans cesse la défricher, il faut semer, fumer avec les engrais imposés par le gouvernement, récolter, et tout cela pour la collectivité, depuis que les terres ne nous appartiennent plus. Si les femmes travaillent dans la montagne, c'est que les Chinois se sont mis en tête de promouvoir la culture en terrasses, jusqu'alors inconnue dans notre région. Nos ancêtres, pleins de bon sens, se sont toujours contentés de cultiver les plaines fertiles au fond des vallées. Mais, pour nourrir l'envahisseur, il est devenu nécessaire d'accroître la surface cultivable. Nos mères et nous tous sommes désormais esclaves du Grand Timonier, obligés de transformer nos montagnes à vaches en champs fertiles.

Les véritables champs de Pomdo, où l'on cultive orge, sésame, pommes de terre et carottes, s'étendent de l'autre côté de la route. Les yacks, la tête ornée de pompons rouges, tirent patiemment le soc. Pourtant, la communauté est de plus en plus pauvre. « On vivait tellement mieux autrefois », disent les anciens…

3

HÉROS VERTS ET ROUGES

Alors, petit enfant bien beau
Qui veut comprendre, écoute !
L'homme que je suis, le connais-tu ?
Si tu ne le connais point,
Je suis Milarepa, de Gungthang.

Milarepa

Mo-la me raconte un jour l'histoire de la montagne du Nid des Vautours.

Il y a très longtemps, le bouddhisme était pratiqué par des penseurs isolés aux plus hautes altitudes, « au milieu des vautours ». Tchangpa Tchepo, un ermite originaire du Kham, instruisait les paysans de la région. Un jour, il captura puis enchaîna une diablesse à la puissance dévastatrice pour qu'elle ne porte plus préjudice à son peuple. Cette sorcière deviendra l'une des douze divinités protectrices du Tibet et un monastère sera construit en ce lieu pour que perdurent les enseignements spirituels laissés par ce saint homme : ce monastère porte le nom de « Nid des Vautours de l'île aux Lions ». Tchangpa Tchepo reprit son pèlerinage vers l'ouest, mais il fut bientôt arrêté en chemin par un tigre étendu au soleil au fond d'un ravin. Le fauve lui laissa la place sans le menacer et le sage comprit qu'il devait s'installer à cet endroit. Un deuxième monastère sera édifié sur le lieu de son nouvel ermitage : le monastère de la vallée du Tigre.

À cette époque lointaine, les seules constructions des montagnes consistaient en de petites cellules d'ermites et des cabanes où les bergers et les bûcherons passaient la belle saison.

La tradition spirituelle, dans cette région, est donc très ancienne. Elle s'inspire essentiellement du célèbre sage et poète Milarepa. Plusieurs milliers de moines y vivaient à la fin du XIXᵉ siècle, et il n'en reste aujourd'hui que quelques-uns pour garder vivant ce patrimoine ancestral. L'ancien monastère n'est plus aujourd'hui que ruines et les moines occupent des bâtiments modernes.

Mo-la aime me parler de Milarepa, un grand sage qui chercha à se venger d'un homme qui martyrisait ses proches. Milarepa s'initia pour cela à la magie noire et fit disparaître les membres de la famille du tyran, réunie à l'occasion d'un mariage. Plus tard, pris de remords, il demanda conseil à Marpa, un maître aussi sévère que savant, qui lui fit tout d'abord subir de terribles épreuves, comme de construire seul une tour de neuf étages. Une fois la tour achevée, Marpa lui annonça qu'elle ne se trouvait pas au bon endroit et qu'il devait la rebâtir un peu plus loin. De retour dans son village, Mila – on l'appelait ainsi – constata que la maison familiale avait été détruite et que sa chère mère était morte. Il décida alors de consacrer le reste de sa vie à la méditation. Il s'installa donc dans une grotte, au sud du Tibet, vêtu d'une simple robe de coton[1].

---

1. *Milarepa* signifie « Mila vêtu de coton ».

Enfant, les poèmes et les enseignements de Milarepa m'apparaissent comme autant de merveilles, dont mon âme s'étonne car je suis bien loin du renoncement qu'il prône. Mo-la connaît quelques-uns de ses textes, glanés je ne sais où :

> *Bien qu'ayant vécu longtemps en ermite, je n'ai pas encore abandonné mon attachement au soi. Celui qui n'a pas rejeté son ego, à quoi peut-il prétendre ? Si le vent se réjouit du bois, qu'il l'emporte ! Si le vent se complaît avec le coton, qu'il prenne ma robe !*
>
> *Je suis en harmonie avec les maîtres de ce lieu tranquille. Vous ici, fantômes et démons assemblés, buvez ce nectar d'amour et de compassion et repartez chacun en votre séjour.*

Évidemment, ces nobles pensées s'avèrent bien différentes des messages que diffuse la propagande chinoise. Mais les uns comme les autres me semblent aussi étrangers qu'inaccessibles, donc beaux et exaltants.

La vie d'ermite en haute montagne reste un modèle populaire au Tibet, et Milarepa demeure une figure emblématique de la vie ascétique et de la pratique de la compassion au sein de la nature vierge.

Je me souviens encore de ces vers qui me touchaient profondément et que je me répéterai au cours de mes errances :

> *Je ne choisis pas un pays ou un autre*
> *Et ne souhaite nulle demeure assurée.*
> *Ainsi je ne souffre pas de liens trop étroits,*
> *Puis n'ai point à subir un fort attachement.*

La poésie que m'apprend ma grand-mère et que j'aime tant entendre résonnera longtemps dans mon cœur d'exilé. J'aurai à plusieurs reprises l'occasion de mettre en pratique les préceptes de sagesse de cet ermite si austère. Ma dernière fuite du Tibet se fera par les pentes du mont Kailash, où Milarepa s'illustra au cours de joutes magiques contre le chef de l'ancienne religion du Tibet, le *bönpo*. Les monastères détruits du Kailash sont les derniers temples que je visiterai, emportant avec moi toute l'énergie spirituelle de ces êtres d'exception.

Au xve siècle, désireuse de purifier la vie monastique, l'école Gelukpa[1] s'opposa aux anciennes institutions monastiques où la discipline s'était relâchée. Le monastère du Nid des Vautours de l'île aux Lions fut sauvé de la destruction par les Mongols parce qu'il recelait une statue du patriarche des Gelukpa, le saint porteur de lotus. Ce vénérable monastère traversera ainsi les âges jusqu'à la Révolution culturelle, où l'or des statues sera fondu en lingots. On me révélera par la suite que quelques moines mendiants étaient revenus en ce lieu pour faire revivre l'esprit du premier yogi de ces montagnes.

L'école est entourée d'un petit parc, délimité par un muret en pierre. La cour est traversée par une rigole chargée de l'évacuation des toilettes. En plus des études, une de nos tâches consiste à la vider et à la récurer. Le maître d'école se sert de fumier pour son potager et nous sommes tous dégoûtés de le voir y verser des excréments au moment de la récolte. Plus

---

1. L'école Gelupka, fondée au xive siècle par Tsong Khapa, prônait la réforme des monastères, le retour à l'austérité, le célibat des moines. Elle se déclarait aussi en faveur d'études approfondies, mises à l'épreuve dans le cadre de débats contradictoires comme ceux auxquels on peu encore assister aujourd'hui dans le monastère de Sera, près de Lhassa. Le dalaï-lama est un disciple de l'école Gelupka.

d'une fois, je suis contraint de ramasser la crotte qui s'écoule le long du caniveau en béton et de la récupérer dans un panier pour que le maître puisse fumer ses choux.

À peine lavés, je retrouverai avec horreur ces choux dans la soupe claire que l'on me servira dans les prisons chinoises, sous les rires des gardes. Il me faudra surmonter un immense dégoût pour ne pas mourir de faim.

Tous les enfants adorent les bonbons. Mais à Pomdo, seuls les rejetons des fonctionnaires et des partisans du régime communiste en reçoivent. Phunsor Dolma[1] est la mère d'une famille arrivée depuis peu au village. Son mari travaille pour la radio locale. Il est évidemment dans les bonnes grâces du parti. Leurs enfants fréquentent l'école du gouvernement et ils ont tous les jours de quoi manger. Bien mieux, ils viennent nous narguer en nous suçant des bonbons sous le nez ! Mais même s'ils nous font crever de jalousie, nous nous devons d'entretenir de bonnes relations avec eux, car leurs parents passent assez souvent aux miens des commandes de bois et de bouse de yack séchée pour le feu en échange de quelques bols de *tsampa*. Nous, enfants pauvres, nous contentons de petits morceaux de goudron que nous ramassons au bord de la route, le long des bâtiments officiels. Cette friandise improbable est tout à fait interdite, car dangereuse. D'ailleurs, plusieurs petits en mourront au terme de terribles souffrances.

Mon copain Makhopa est l'un des fils de la famille A Sang, qui signifie sensible, pourvu de grandes qualités morales. Ils habitent sous une falaise, au bout du

---

1. « Déesse des joyaux ».

village. La grand-mère de Makhopa, Sangarma, presque aveugle, est une amie de la mienne, et elles aiment arpenter toutes les deux la montagne pour récolter des orties avec lesquelles elles préparent la soupe. La mère de Makhopa, Atchor, est la femme la plus bavarde du village. Cette rebelle passe son temps à dénoncer les injustices et la pauvreté dans laquelle nous vivons, ce qui lui a valu le surnom de « Cent Bouches ». Son mari, Tengyo, est originaire d'un village éloigné. Il a les pieds plats et, quand il marche, ses talons se tournent vers l'extérieur, curiosité que nous ne nous lassons pas de commenter. Il possède un tour de potier. Les gens qui viennent de l'est, du Kham ou de l'Amdo, exercent souvent le métier de potier.

Makhopa et moi passons notre temps à faire des bêtises dans le village, et nous n'aimons rien tant que de traîner autour de la mairie, lieu respectable et interdit entre tous. Le maire est un Chinois qui traverse parfois le village à cheval, dans un bel uniforme, mais nous ne le voyons que rarement, car il passe le plus clair de son temps au district, à deux kilomètres de Pomdo. Le personnage le plus singulier est sans aucun doute le chef de la commune, Takime, responsable des services municipaux. En fait, sa principale tâche, en collaboration avec le chef du parti, consiste à organiser le travail de la population selon des méthodes stakhanovistes. Il arpente le village vêtu de son uniforme militaire, mais les manches de sa veste pendent comme celles d'un épouvantail : un jour, il a voulu tester la pêche en rivière à la dynamite, mais la charge a éclaté trop tôt et il y a laissé ses deux avant-bras. Malgré cela, ou à cause de cela, il veut à tout prix servir de modèle aux villageois. Gardien des clés de la salle dans laquelle ont été stockés, ou entassés, tous les trésors des monastères environnants pillés par l'occupant chinois, il est aussi responsable du seul téléphone du village, que l'on actionne à l'aide d'une manivelle. L'infirmité de Takime l'oblige à la coincer sous ce qui lui reste de bras droit, ce qui entraîne tout son corps dans un grand mouvement circulaire. Il élève une dizaine de cochons qui servent à nourrir les fonctionnaires. Makhopa et moi aimons beaucoup nous rouler sur le dos des cochons quand ils dorment sur un tas de fumier. Un jour, nous surprenons le boucher en train de souffler de l'air entre la peau et le corps d'un animal tué pour décoller sa peau. Pour tenter de l'imiter, nous nous amusons à leur souffler dans le derrière à l'aide d'une pompe, au risque de nous faire mordre... Mais il faut avouer que les cochons tibétains sont beaucoup moins agressifs que les cochons français.

Makhopa et moi sommes les favoris de nos grands-mères respectives. La sienne a l'habitude de déposer une ou deux galettes d'orge sous une pierre près de la porte d'entrée, à l'insu de sa fille. Quand Makhopa rentre chez lui, son premier geste est de courir regarder quelle surprise elle a cachée à son intention. Après de longues journées d'école, nos grands-mères tiennent à nous consoler. Un petit feu de bouse de yack accompagné d'une vieille chanson suffisent à nous réconcilier avec la vie. Cette école, comme toutes les autres, a pour principal but de discipliner les bandes d'enfants et d'adolescents qui errent à travers le village pendant que leurs parents sont occupés aux travaux collectifs. Mais c'est la faim et l'inaction qui les poussent au brigandage. Notre village se révolta lors de la disette de 1960 en pillant les magasins d'État. Ce que je vis comme des attaques personnelles fait en réalité partie d'une politique globale de répression des autorités chinoises. J'ignore alors tout cela et je ne sais pourquoi le maître qu'on nous a attribué s'apparente davantage à un dompteur qu'à un professeur.

Tout comme sa mère et moi, Makhopa est un rebelle qui passe son temps à chercher quelle mauvaise blague il pourrait bien inventer. Il arrive aussi que nous ayons droit à des séances de cinéma : il s'agit toujours de films de propagande communiste, mais ce sont des images animées et nous raffolons des glorieux héros dont ils nous content l'histoire. Un jour, le mauvais génie de Makhopa lui souffle de couper le fil qui relie le projecteur au groupe électrogène. En punition, il doit passer la nuit enfermé dans une pièce de la mairie. Nous devions vraiment être animés par le désir de nuire, car le projectionniste était bien courageux de gravir la montagne avec son lourd matériel pour aller montrer ses films jusque dans les régions les plus reculées.

Nous adorons ces séances de cinéma, avant lesquelles nous observons le ciel étoilé. Seule la pluie empêche parfois la projection. L'histoire d'une espionne qui préféra le suicide à la trahison nous arracha un jour des larmes. Nous apprécions aussi les hauts faits d'Aku Li Phung, un orphelin chinois qui s'illustra par une incroyable capacité de travail. La journée, il travaillait aux champs, la nuit, il occupait les fonctions de policier. Quand les Chinois partiront se battre au Viêt-nam contre les Américains, il se trouvera en première ligne et mourra parmi les premiers. Tous les éléments étaient réunis pour façonner un héros sublime, un modèle pour nous, Tibétains ignorants et retardés. Aku Li Phung suivait les préceptes de Mao à la lettre. D'ailleurs Mao avait besoin de communistes modèles comme lui. Je m'imagine à la place de ce garçon, tout excité par ses aventures. Nous nous demandons, sans oser leur poser la question, pourquoi nos parents n'assistent jamais à ces séances de cinéma. Mo-la non plus, bien sûr, n'y met jamais les pieds, et pourtant les histoires qu'elle me raconte font naître elles aussi de beaux films dans mon imagination.

C'est en essayant de venir en aide à Makhopa que j'ai découvert l'injustice. Un jour de grand froid, pour le punir de quelques fautes d'écriture, le maître l'attrape par l'oreille au point de le faire saigner, et le traîne ainsi jusqu'à la rivière. Pendant un temps infini, Makhopa reste les jambes dans l'eau, tenant son ardoise au-dessus de la tête pour exhiber ses fautes. Pleurant de froid et de peur, il finit par oser demander au maître, qui l'observe par la fenêtre en se chauffant les mains sur son bol de thé, d'arrêter ce supplice. Enfin, le sadique me charge de ramener Makhopa à l'école. Une bonne partie de la classe est sous le choc. Les jambes de Makhopa sont noires, recouvertes d'une fine couche de glace. Je les essuie en cachette, car on n'apporte pas son aide à un ennemi du communisme, et l'on est forcément un ennemi du communisme quand on fait des fautes en recopiant les pensées de Mao. Surpris par le maître, j'ai de la chance, car je m'en sors avec seulement quelques coups de canne et des lignes à copier. Dans ma naïveté, la découverte de l'injustice me fait alors espérer qu'un jour prochain le grand frère Mao mettra un terme à ces souffrances.

Je retourne voir Lowan, le croque-mort. Il est assis près d'un feu et me regarde d'un air amusé. Il accepte de me prendre sous son aile. Avec d'autres volontaires, il s'occupe de reconstruire le monastère du Nid des Vautours de l'île aux Lions, détruit par les Chinois.

Le monastère se trouve en amont du cimetière, dans la montagne. La première fois que nous nous y rendons tous les deux, j'ai encore un petit tremblement en passant devant le lieu où il dépeça un cadavre pour l'offrir en pâture aux vautours. Des restes de cheveux et des lambeaux de chiffons sont encore accrochés aux branches des arbres.

Lowan, pendant quelques jours, complétera les informations que m'avait fournies Mo-la sur le rituel de la mort et sa relation avec l'évolution du souffle vital de chacun de nous :

— Aucun état n'est permanent, Akönpa, mais à travers le *bardo* de la mort, le souffle vital assure la continuité des états successifs d'un être. C'est ce souffle qui nous permet de nous projeter dans une nouvelle incarnation physique. Le *karma* est l'ensemble de tout ce que nous avons fait et pensé dans notre état précédent, et notre vie future dépend de son bilan. Mais il existe autre chose : le moment même de la mort est extrêmement important, puisque c'est l'état dans lequel nous nous trouvons à ce moment précis qui permet au souffle vital de s'élever. Celui-ci s'échappe par un trou au sommet du crâne. C'est pourquoi le lama présent auprès du mourant lui arrache un cheveu à cet endroit. Le souffle sort par ce trou, situé juste à la jonction des os du crâne.

— Mais pourquoi, Lowan, ne se contente-t-on pas d'enterrer les morts ?

— Parce que l'enterrement n'est pas favorable à la réincarnation, et c'est pour cela que nous le réservons aux personnes indésirables, comme les voleurs ou les assassins. Nous autres, hommes du commun, sommes trop heureux de pouvoir offrir notre corps à la nature.

C'est un don qui nous vaut des mérites, et qui ne nous coûte pas grand-chose !

Convaincu et fasciné par les propos de Lowan, je reprends ma pelle et me remets au travail. Il faut aller chercher les pierres qui ont dévalé la pente et les remonter, remplir les seaux d'eau au torrent qui coule en contrebas. Six ou sept personnes s'activent à reconstruire le monastère : un vieil architecte, ancien moine de Taglung, le monastère dont mon frère Choto est membre, ainsi qu'un jeune homme du nom de Tendrie et un pèlerin venu d'un village voisin. C'est là que j'entends parler pour la première fois des persécutions infligées aux moines par les gardes rouges pendant la Révolution culturelle. L'ancien moine me raconte que le responsable du monastère de Peyu Gompa, si vénéré que les fidèles ramassaient la terre sous ses pieds pour la conserver comme une relique, fut déshabillé et ligoté, puis traîné du sommet au bas de la montagne jusqu'à ce que son corps ne soit plus qu'une loque sanglante et que ses intestins se répandent au sol. Dans un autre monastère, les moines furent obligés d'uriner sur leurs chefs jetés au fond d'un trou... Autrefois, les serfs travaillaient beaucoup pour nourrir les moines. Maintenant, ils travaillent pour nourrir l'envahisseur. Tant qu'à travailler, je préfère encore utiliser mes forces à accumuler des mérites et à espérer une bonne réincarnation.

Jusqu'au mois de mai, je me dépense sans compter sur ce chantier, épuisé mais serein. Ici, personne ne vous maltraite, ne vous injurie. Quel changement ! Pour tout salaire, nous sommes nourris par les gens du village, mais c'est déjà beaucoup pour moi que de ne plus subir la faim. De temps en temps, un autre bénévole vient prêter main-forte. Les seaux de bois me déchirent la peau du dos, mais Lowan m'affirme que c'est une bonne chose, qu'il faut souffrir pour réparer les fautes passées. Je me passionne de plus en plus pour la spiritualité et harcèle mes compagnons de questions.

Un jour, je m'assieds à califourchon sur un mur de ciment encore frais. Perdant l'équilibre, je tombe à la renverse dans le ravin. Heureusement, un arbrisseau arrête ma chute. En signe de reconnaissance, je prie chaque jour Tara, la déesse blanche.

Pendant ces mois merveilleux, j'oublie peu à peu le travail à la gloire de Mao Zedong et tous les tracas de l'école. Je suis prêt pour une vie nouvelle.

4

OBSCURITÉ, OBSCURANTISME ET ÉLECTRICITÉ

Ô grand Sakyamuni [...]
Toi qui fais jaillir la lumière de la
sagesse infinie
Toi qui éclaires l'ignorance dans les
trois royaumes...

Tenzin Gyatso, prière pour la dixième
incarnation du Panchen Lama

Un soir, je fais à Nyiko la peur de sa vie. La nuit est noire et tout le monde est sorti pour faire ses besoins. Je me cache sous une peau de mouton et quand Nyiko tâte dans le noir pour s'en emparer, il sent que ça bouge en dessous. Il croit qu'un diable est venu s'y loger. Il n'a d'ailleurs pas tort, puisque c'est moi! Il faut dire qu'on nous racontait sans cesse des histoires de diables et de mauvais génies, à vous faire dresser les cheveux sur la tête. Ainsi, une fois le soleil couché, il est formellement interdit de se laver les mains ou la figure. Celui qui désobéit risque, en se penchant sur la cuvette, de voir l'image du diable se dessiner à la surface de l'eau. On raconte que certains sont morts de peur devant cette vision. Le pire est qu'ensuite le diable s'empare de l'esprit du mort et le garde en esclavage. Il prend sa tête pour ajouter un trophée à son collier de crânes, et garde le corps qui est condamné à lui obéir pour l'éternité.

La nuit, nous nous éclairons avec des lampes dans lesquelles nous brûlons de la graisse de sésame. Les Chinois ont bien essayé d'installer l'électricité, mais ça n'a pas vraiment marché. Ils nous font creuser – toute la main-d'œuvre disponible dans le village est réquisitionnée pour ces grands travaux – plusieurs canalisations qui doivent acheminer l'eau de la montagne vers une petite centrale électrique. Mais les problèmes ne tardent pas à surgir. Au printemps, les canalisations, incapables de supporter la pression, se mettent à fuir et à inonder les champs. L'hiver, c'est encore une autre histoire. Naturellement, l'eau gèle et la centrale s'arrête. Elle ne fonctionne donc que pendant quelques mois l'été. L'hiver, saison à laquelle elle serait le plus utile, nous devons revenir aux anciens systèmes d'éclairage. Nous l'appelons la « centrale marmotte[1] ».

Pourtant, l'administration a tout prévu. Les fils – dénudés – courent dans tout le village, passent sur le toit des maisons. Les oiseaux s'électrocutent, mais qu'importe, Mao entendait faire le bonheur du peuple, et non celui des corbeaux ou des sansonnets.

Les villageois, constatant l'échec de ce progrès qui semble leur tourner le dos, récupèrent les poteaux pour leurs feux et leurs constructions. Alors l'administration décide d'installer des poteaux en béton, mais ça ne marche toujours pas, et les villageois les utilisent pour construire un pont sur la rivière. On installe

---

1. La centrale marmotte est la première chose que j'aie vue en arrivant à Pomdo. Pour ma plus grande joie, elle était encore debout, bien que désaffectée, et j'ai eu le plaisir de découvrir ses deux gros tuyaux descendant de la montagne, qui gelaient toujours pendant l'hiver.

même des ampoules dans les maisons. Il faut tirer sur un fil pour allumer et tirer encore pour éteindre. Mais ça non plus, ça ne fonctionne guère.

Alors, l'un des fils de la famille Ningpa commence à s'énerver et à taper avec une pelle sur les ampoules. Les Ningpa – ce nom signifie vieille famille – sont, dit-on, parmi les plus anciens habitants du village. Le père, Lha Bapsteng (le dieu s'installe), occupe les fonctions d'oracle local. Cette faculté de prophétiser se transmet de génération en génération. Cependant, tout oracle qu'il est, il travaille comme les autres dans les champs. Notre devin ne refuse pas le progrès et c'est tout le village qui est à la fois déçu et réfractaire à cette nouveauté. Qu'il s'agisse d'électricité ou d'esprit, le fait qu'un fluide invisible soit utile ne paraît pas très surprenant aux tibétains. Quand l'oracle entre en transe, nous pensons que c'est notre petit dieu local, Gungara, qui pénètre dans son corps et parle par sa bouche.

Ma grand-mère me raconte un jour l'histoire de ce yogi, un saint homme qui a traversé Pomdo il y a fort longtemps. La divinité protectrice du village était alors Yangmara. Jaloux de la réputation de sainteté de Gungara, Yangmara déclencha une bagarre. Son objectif était d'asservir l'esprit de Gungara après sa mort. Mais spirituellement, le yogi lui était très supérieur, et c'est finalement lui qui l'emporta et devint le protecteur du village. Quand l'oracle entre en transe, c'est Gungara qui pénètre dans son corps et parle par sa bouche. Les gens du village viennent lui demander conseil pour se débarrasser d'un sort, savoir quelle voie suivre pour accéder à une bonne réincarnation. Comme toutes les divinités locales, Gungara possède un petit autel, une sorte de niche au toit pointu posée tout en haut de la falaise juste au-dessus de notre maison. Yangmara a aussi le sien, un peu plus bas, car même les divinités inférieures doivent être ménagées.

Bien sûr, notre petit oracle n'a rien à voir avec l'Oracle d'État du Tibet, qui vit aujourd'hui en exil auprès du dalaï-lama. Celui-ci raconte comment se passent les consultations du Grand Oracle, habité par la divinité du monastère de Nechung : Dorje Drakden. Au Tibet, les oracles sont appelés *kuten*, ce qui signifie « la base physique », soit le lieu dans lequel s'incarne la divinité. Mais voici ce qu'en dit le dalaï-lama :

> Le kuten, *quand il vient me voir, est vêtu de nombreuses robes recouvertes d'une chasuble de brocart d'or brodée de dessins anciens verts, jaunes, rouges et bleus. Il porte sur sa poitrine un miroir rond en acier entouré de turquoises et d'améthystes, sur lequel est inscrit le* mantra *de Dorje Drakden. […] Son costume pèse près de quarante kilos, et son poids l'empêche de marcher lorsqu'il n'est pas en transe.*
>
> *La cérémonie commence par des prières et des invocations accompagnées de trompes, de cymbales et de tambours. Puis, le* kuten *vient s'incliner devant moi et fait une offrande. Au bout d'un moment, il entre en transe et ses assistants le font monter sur un petit tabouret placé devant mon trône. Au début du second cycle d'invocation, le* kuten *entre dans une transe plus profonde. On lui pose alors sur la tête un énorme casque, qui pèse une quinzaine de kilos (jadis, ce casque pesait plus de quarante kilos).*
>
> *Le visage du* kuten *commence alors à se transformer et à prendre une expression sauvage. Ses yeux semblent vouloir quitter leurs orbites et sa face se boursoufle de manière*

hideuse. Sa respiration ralentit, et brusquement s'arrête. On attache alors le casque autour de son cou qui semble prêt à exploser tandis que son corps enfle visiblement.

Le kuten *se met alors à faire des bonds, attrape une épée rituelle que lui tend l'un de ses assistants et commence une danse lente et digne, d'aspect menaçant. Puis il vient vers moi, se prosterne jusqu'à terre et se redresse d'un bond, comme si son costume ne pesait rien. L'énergie volcanique de la divinité semble se maintenir difficilement à l'intérieur du corps frêle du* kuten *qui se déplace comme s'il était en caoutchouc, mû par un ressort d'une puissance colossale.*

L'échange peut alors commencer. Je lui pose des questions auxquelles il répond clairement. Puis il retourne s'asseoir sur son tabouret et répond aux questions des membres du gouvernement. Avant chaque réponse, il se redresse et reprend sa danse, brandissant son épée au-dessus de sa tête, semblable à un magnifique chef tibétain de jadis.

Puis le kuten *fait une dernière offrande et s'écroule sur le sol, comme privé de vie[1].*

Pour revenir à notre village et à notre oracle, les choses ne sont bien sûr pas aussi grandioses, mais tout de même, Lha Bapsteng[2] est un personnage très précieux et respecté, à qui les villageois ont recours pour toutes les décisions importantes.

---

1. *Freedom In Exile*, Harper Perennial, New York, 1991.
2. J'ai demandé à Chotil s'il y avait toujours un oracle à Pomdo. Il m'a répondu que non et qu'il s'en passait finalement fort bien (note NG).

L'électricité rudimentaire des Chinois a donc bien du mal à s'installer dans notre village. Un matin de printemps, « Bouche Verte » Kanonpa monte sur son toit. La famille doit ce surnom aux petits boutons qui les défigurent. En plus de la source qui coule éternellement dans sa maison, il vient de découvrir une fuite au plafond. Le voilà qui attrape le fil électrique à pleines mains, le croyant responsable de la fuite. Par malheur, ce jour-là, le courant passe. Le choc est terrible et Bouche Verte tombe raide sur le dos, évanoui. Son fils le cherche partout dans le village, et ce n'est que tard dans la soirée qu'il pense à aller voir sur le toit. Bouche Verte ouvre les yeux, mais tremble encore de tous ses membres.

Les Kanonpa habitent une maison construite sur un terrain très humide. L'eau ruisselle en permanence sur le sol à l'intérieur de la pièce dans laquelle les membres de la famille cohabitent sans se plaindre au milieu de crapauds, de serpents et de têtards. La mère s'appelle Phelmo Chukye (déesse de la source). Son mari, potier, est originaire d'un village de l'est. Près de la source aux crapauds, qui lui fournit l'eau nécessaire à son travail, trône un tour sur lequel il forme des bols et des assiettes avec l'argile rouge du village. Grand et mince, Kanonpa a un pied plus long que l'autre. Cette source qu'ils devraient maudire, ils y sont très attachés. Pourtant, ils sont couverts de boutons et je me demande aujourd'hui s'ils n'étaient pas atteints d'une maladie de peau due à cette humidité permanente. Ils essaient en vain de se soigner avec du sel, ce qui leur a valu le surnom de Bouche Verte. Malgré cela, ils prient et brûlent des fagots de genévrier pour que la source ne tarisse pas.

Jadis, les Kanonpa étaient de riches propriétaires. Aujourd'hui, ils sont sans cesse brimés par les fonctionnaires et leurs enfants, et Phelmo Chukye doit chaque mois faire amende honorable devant l'assemblée du village. La production de poterie est vendue au comité. En échange, Kanonpa touche des points de travail qui lui permettent à peine de faire subsister sa famille. Ces points, introduits par les communistes pour rémunérer le travail des paysans, ont une valeur fixée par la commune. Ils sont distribués en fonction du nombre de jours travaillés et viennent s'ajouter à une partie des récoltes en nature.

En fait, pour s'éclairer, rien ne vaut une bonne lampe à huile de sésame. Une fois le sésame pressé, on récupère une sorte de bouillie dont on peut enduire des bâtons de bois de *sewa*, un arbuste qui pousse au bord des rivières. Un bâton de *sewa* enrobé de bouillie de sésame, voilà un excellent luminaire pour passer la soirée. Nous possédons aussi dans les environs de Pomdo un autre arbuste très précieux, le *wumbu*, qui abonde sur les bords de la rivière de Taglung. Mâchonner un bâton de *wumbu* est excellent pour les bronches des hommes et des bêtes. Pour tout le monde, en fait. On peut aussi en extraire le jus pour soigner la grippe.

Quand nous nous réveillons pendant la nuit, pas question d'avoir de la lumière. Pourtant, on aimerait bien pouvoir allumer une lampe, ou au moins une petite veilleuse quand on entend craquer les vieilles poutres, contrariées par les changements de température. Notre maison est « sur le chemin des esprits », et Chotil ne me rassure pas du tout quand il me dit que je n'ai pas à avoir peur, qu'il est naturel que les esprits passent sur notre toit... Parfois, les bruits nocturnes ont d'ailleurs une autre cause, tout aussi inquiétante : derrière la maison se trouve l'enclos des chèvres. Il arrive que des léopards descendent de la montagne pendant la nuit pour en enlever quelques-unes et les emporter dans leur repaire.

Naturellement, les fonctionnaires n'apprécient pas notre façon de traiter la fée électricité. Du coup, ils décident d'abandonner les villageois à l'obscurité, si bien assortie à leur obscurantisme, et de s'équiper en « électricité sèche », c'est-à-dire sans avoir recours à l'eau, à l'aide d'un groupe électrogène mangeur de pétrole. Ainsi, les ampoules de la mairie et de la maison municipale ne manquent-elles plus jamais de courant.

Grâce à cette électricité, nous sommes réveillés à 6 heures par une musique dynamique et suraiguë diffusée par les haut-parleurs de la mairie, alternant avec des appels au travail assortis de quelques exemples de dévouement à la cause et de patriotisme. Ces énergiques incitations au labeur ne durent pas moins d'une heure. Comme les Chinois ont décidé de nous mettre à l'heure de Pékin, le soleil a chez nous deux heures de retard. Jamais personne ne reste au lit après 9 heures. Une famille du village, les Sukha, possède deux ou trois coqs. Leur chant précède de peu l'appel des haut-parleurs. Il n'y a guère d'autres volailles au village[1]. La première raison est que les Tibétains méprisent ces animaux, considérés comme des symboles d'avidité sexuelle. Au centre de la roue de la vie, une des images bouddhistes les plus répandues au Tibet, qui rassemble les divers éléments de la vie humaine, le coq figure en bonne place comme symbole du désir, aux côtés du serpent (la colère) et du sanglier (l'ignorance), ces trois vices

---

1. Il n'y en a toujours pas. Il est rarissime de croiser un poulet dans un village. Les Chinois vivant au Tibet doivent importer en masse de la Chine intérieure ceux qu'ils consomment.

étant la source de tous nos maux. Sur les *thangka*[1], ces animaux se mordent la queue, pour bien montrer que tous ces vices sont liés les uns aux autres. Nous n'avons donc aucun remords à poursuivre les rares volatiles que nous croisons sur notre route et à leur envoyer des pierres ou des flèches, ce qui contribue aussi à dissuader les éleveurs potentiels. De même, nous ne mangeons jamais d'œufs, considérés comme de dangereux aphrodisiaques.

Mo-la me raconte un jour que le coq et le vautour appartenaient jadis à la même famille. Mais les deux volatiles étaient incapables de s'élever dans le ciel, parce que le coq ne pouvait voler que d'une aile (la gauche) et le vautour de l'autre (la droite). Un jour, le vautour eut une idée de génie :

— Eh, vieux frère coq, tu vas me prêter ton aile gauche, je vais m'envoler et après je te passerai mon aile droite.

— D'accord, répond le coq, excellente idée, comme ça nous connaîtrons tous deux le plaisir de planer au-dessus du monde !

Sitôt dit, sitôt fait, et voilà le vautour parti très haut dans le ciel.

Le bêta de coq, resté en bas, le suit longuement des yeux, mais bientôt le vautour n'est plus qu'un point dans le ciel, et disparaît au-dessus de la falaise.

Maître coq reste toute la journée planté là, le bec ouvert, criant de temps en temps « *Go-go ! Go-go !* », ce qui signifie « vautour » en tibétain.

Aujourd'hui encore, il attend le compagnon de sa jeunesse, mais le vautour ne revient jamais. Le matin, la chanson du malheureux retentit dans tous les villages du Tibet : « *Go-go, go-go !* »

---

1. Peintures de sujets religieux sur toile ou sur cuir.

Grand-mère en profite pour me servir un petit couplet de morale.

— Tu vois, Akönpa, il ne faut jamais mentir, ni jamais trahir sa famille. Le vautour, qui aimait bien le coq, n'est jamais revenu. Il est privé de sa compagnie et du reste de ses amis. Il est tout seul, là-haut, dans son aire...

Le réveil est plutôt douloureux, surtout quand il fait froid – en hiver, la température descend jusqu'à vingt-cinq degrés en dessous de zéro ; l'eau gèle dans la maison comme dans les rivières – et je cherche à me réchauffer près de la cuisinière, que l'on n'allume que le matin, et où le feu mouronne pendant la nuit. Je dors tout nu, avec deux ou trois couvertures en peau de mouton ou en laine de yack, antiques loques rapiécées mais chaudes. Je partage le lit de mon frère Nyiko, et mes deux sœurs un autre (garçons et filles ne dorment pas ensemble). Mes parents ne couchent pas dans le même lit, j'ignore donc comment ils font des enfants. Peut-être se donnent-ils des rendez-vous secrets sur le toit ou dans la montagne.

Ma grande sœur va chercher de l'eau à la rivière avant de ranimer le feu pour faire chauffer la soupe (orties, céréales, farine d'orge quand il y en a) et le thé au beurre de yack, qu'elle nous apporte parfois dans un bol au lit. La veille, elle a recouvert de cendres le feu encore vif pour ne pas avoir à le rallumer le matin. Il suffit d'écarter les cendres et de remuer la braise ; le feu repart (presque) tout seul.

Quand je me réveille, mon père est déjà parti s'occuper des animaux, et ma mère est aux champs. Elle ne rentre que tard le soir, épuisée. Je ne la vois pas beaucoup.

Un jour où je ne sais pas quoi faire, je me sens pris d'une tendresse soudaine pour ma mère qui, la veille encore, est rentrée à la nuit tombée, épuisée par son dur labeur dans la montagne. Je cours à toute vitesse jusqu'à l'endroit où elle travaille depuis quelque temps. Contrairement à ce que je m'attends à trouver, je vois toutes les femmes et les hommes du village immobiles, debout, appuyés sur leur pelle ou sur leur pioche, en train d'écouter Lodrolpa, le libérateur de la pensée, chef du comité et forgeron, qui prononce l'un de ses célèbres discours-sermons à l'unité de travailleurs à laquelle appartient ma mère. C'est cette activité des plus utiles qui lui a valu sa place. Du reste, il continue de travailler à sa forge, installée dans une des pièces de sa maison, quand il n'est pas pris par ses activités révolutionnaires. La caste des forgerons se situe au plus bas de l'échelle dans la société traditionnelle. Jamais un fils de propriétaire, et encore moins de famille noble, n'épouserait la fille d'un forgeron. Le fils de Lodrolpa fréquente une école chinoise de Lhassa. Sa fille, l'une des plus jolies du village, se maquille, ce qui nous paraît très étrange, mais c'est sans doute pour cette raison que nous la trouvons si belle.

L'ascension sociale de Lodrolpa est récente. Jadis, il occupait le rang le plus bas de l'échelle sociale, comme les Charpa (ce mot évoque la déchirure du tissu), une famille d'artisans récemment installés dans le village. Le père est couturier, menuisier, architecte et tailleur de pierre. C'est lui qui est chargé de construire les nouvelles maisons du village. Encore un métier, comme celui de forgeron, jadis considéré comme méprisable dans la société traditionnelle[1], mais qui se trouve aujourd'hui porté au sommet de

_____

1. En fait, tous les métiers situés au bas de l'échelle étaient ceux qui impliquaient la fabrication ou l'utilisation d'instruments tranchants, donc susceptibles de couper le fil de la vie.

la hiérarchie sociale. Leur fils, Dik Pepa (scorpion, ou source de souffrance), est très méchant et profite du pouvoir de son père. Quand la commune a décidé d'ouvrir une banque dans le village, c'est lui qui a été désigné pour s'en occuper. À dire vrai, il n'y fait pas grand-chose, car c'est une petite banque et la caisse ne compte guère plus de cent ou deux cents yuans. Son travail consiste davantage à garder le trésor qu'à effectuer des opérations bancaires. On dit que le méchant Dik Pepa se réincarnera en scorpion.

Apparemment, les réunions hebdomadaires ne suffisent pas à Lodrolpa car il éprouve le besoin d'aller faire sa propagande jusque sur les lieux de travail. Je m'approche d'Ama-la et lui demande à quelle heure elle compte rentrer à la maison. Elle me serre alors dans ses bras et me dit d'attendre un peu. Lodrolpa est comme d'habitude très volubile et harangue la petite troupe en racontant les hauts faits d'Aku Li Phung. Je suis encore très jeune, et les hauts faits de Li Phung ne réussissent qu'à m'endormir dans les bras d'Ama-la, avant de rentrer à la maison.

Notre chef Lodrolpa, malgré ses mérites, n'est pas éternel. Les pichets de vodka qu'il avale quotidiennement finissent par lui détruire le foie. Il devient tout bleu ; on dit dans le village qu'il a le foie brûlé. Mais on affirme aussi que la roue de la vie a tourné, et que c'est bien fait pour lui, pour cet homme impitoyable qui a tout sacrifié, y compris le bonheur de ses concitoyens, au président Mao.

Un curieux revirement se produira quand même à la fin de sa vie. Sentant sa fin prochaine, il demandera à sa femme de lui lire un texte sacré du *bardo* de la mort[1] et de donner son corps en pâture aux vautours, acte de piété suprême dans la religion tibétaine. Voilà notre maoïste acharné redevenu dévot.

Les réunions du parti et la résidence de son chef Huyon Lhenkhang se tiennent dans l'ancienne maison d'un gros propriétaire. Les réunions publiques ont lieu tous les quinze jours. Tous les habitants du village, jeunes et vieux, sont convoqués dans la grande salle, décorée de drapeaux rouges avec faucille et marteau, du drapeau chinois à cinq étoiles et d'un grand portrait de Mao. La présence n'y est pas strictement obligatoire, mais on gagne un point de travail en y assistant, incitation suffisamment alléchante pour assurer la participation de nombreux villageois. Pourtant, ces points ne valent pas grand-chose : une journée de travail est rémunérée six points en moyenne, et un bol de farine d'orge coûte douze points.

Les réunions organisées par le comité consistent surtout à informer les habitants du village de la répartition des tâches au cours des jours à venir, et à entonner page après page des pensées de Mao aux foules abruties par les pratiques traditionnelles : « Les communistes ne doivent pas dédaigner ni mépriser les personnes politiquement arriérées, mais les traiter cordialement, les unir à eux, les convaincre et les encourager à progresser. » Chaque villageois, qu'il sache lire ou non, possède le *Petit Livre rouge*, dont le papier lui sert le plus souvent à envelopper un morceau de graisse de yack ou de beurre qu'il enfouit au milieu de son sac de *tsampa* lorsqu'il part travailler dans la montagne ou aux champs. Il est évident que

---

1. Le Livre des morts tibétain, dont on lit des extraits aux mourants et pendant quarante-neuf jours après leur décès, afin de les aider à obtenir une bonne réincarnation.

cet usage est interdit et que l'on court un grave danger si l'on est pris sur le fait. D'ailleurs, la non-dénonciation est le huitième des crimes du « libéral » tel qu'il nous est décrit dans le *Petit Livre rouge* : « On voit quelqu'un commettre des actes nuisibles aux intérêts des masses, mais on n'en est pas indigné, on ne l'en détourne pas, on n'entreprend pas de l'éclairer sur ce qu'il fait et on le laisse continuer… » Pourtant, on sait comment agir quand on respecte les trois grandes règles de la discipline communiste :

1. *Obéissez aux règles dans tous vos actes.*
2. *Ne prenez pas aux masses une seule aiguille, un seul bout de fil.*
3. *Remettez tout butin aux autorités.*

C'est du siège du comité que part chaque mois à travers le village le défilé des anciens propriétaires, contraints de faire leur autocritique. On leur propose d'ailleurs des méthodes simples et imagées : « Il est un trait marquant qui nous distingue des autres partis, c'est la pratique consciencieuse de l'autocritique. Nous devons constamment balayer notre chambre, sinon la poussière s'y entassera ; nous devons nous laver régulièrement le visage, sinon il sera souillé. » Et Mao a recours aux proverbes traditionnels pour mieux enfoncer le clou : « Ne tais rien de ce que tu sais, ne garde rien pour toi de ce que tu as à dire »… À tes risques et périls.

Quant à mon père, il lui arrive de rester trois ou quatre jours dans les pâturages avec les bêtes. À vrai dire, nous sommes surtout élevés par notre grand-mère. Nos parents sont bien trop occupés pour s'intéresser de près à nos faits et gestes, sauf quand nos bêtises sont trop voyantes. C'est grâce aux talents de narratrice de Mo-la que je connais si bien les contes et les traditions de notre pays.

Un jour, je dois alors être âgé de sept ou huit ans, mon père, qui revient de la ville, me rapporte une magnifique paire de bottes traditionnelles en feutre rouge et vert et en cuir de yack, presque neuves[1]. L'une est un peu plus grande que l'autre, mais quand même, ces bottes et moi à l'intérieur avons fière allure. Je sors aussitôt de la maison pour me vanter auprès des copains, et nous partons en bande faire des glissades sur la rivière gelée. Bien sûr, le soir, les bottes sont trempées et toutes molles. Le lendemain matin, sèches, raides et craquantes, je ne peux plus les enfiler. Encore une fois, mon père est étonné et déçu par ma capacité à nuire, et mes parents décident de ne plus me donner de nouveaux vêtements. Heureusement, Mo-la se laisse toujours attendrir. Elle me fait cadeau d'une belle veste brodée qui appartenait à son mari et d'un bonnet tibétain à oreilles doublé de fourrure. Cette magnifique *chouba*, je la porterai le jour du nouvel an, quand tous les enfants du village revêtent leur plus beaux habits. Le reste du temps, nous portons les vêtements que nous fournissent les communistes en provenance des vieux surplus de l'armée, sales et tâchés. Mo-la me raconte que, pendant la Révolution culturelle, les gens n'avaient plus le droit de porter leur costume traditionnel. Tout le monde devait être en bleu Mao. Mais peu à peu, avec l'allégement du régime, nous avons eu le droit de revenir à nos habitudes, et les femmes ont ressorti leurs tabliers de laine aux mille couleurs, les hommes leurs élégantes *choubas* et leurs bottes de feutre colorées.

---

1. Aujourd'hui, Chotil, retraité, a le temps de les fabriquer lui-même. Lors de ma visite, il m'a montré fièrement les bottes qu'il portait, précisant qu'il était bien inutile de dépenser de l'argent pour quelque chose que l'on pouvait faire soi-même ! (note NG).

On ne porte ni slip, ni chemise, ni tricot, ni pull, seulement un vieux pantalon déchiré et sale. Puis, renonçant le plus souvent aux vêtements militaires, je mets ma *chouba* (en peau de mouton) à manches longues, et j'enroule une ceinture en laine autour de ma taille pour l'attacher. C'est ma mère qui a fabriqué cette *chouba*. Je ne porte pas de chapeau.

En hiver, mes cheveux sont longs et sales, agglomérés tels des dreadlocks. L'été, on nous rase. Je suis si sale que mon visage est noir et mes mains craquelées comme les pattes d'un vautour. Quand mon nez coule, soit je renifle, soit je m'essuie avec mon bras ou ma manche. Hormis ces rhumes sans gravité, je ne suis jamais malade. D'ailleurs, en dehors de quelques anomalies physiques, les enfants du village sont toujours bien portants. Nous avions ainsi hélas rarement l'occasion de manquer l'école.

En hiver, nous sommes chargés d'achever les murets de pierre qui entourent le parc, ou encore d'aller chercher de la bouse de yack pour le chauffage du maître sur la rive opposée.

Le pont sur lequel nous traversons la rivière (que l'on appelle le pont des Larmes du bétail[1]) est celui qu'empruntent les buffles après avoir labouré les terres au pied de la montagne. Si les buffles pleurent, c'est qu'ils ont peur du pont trop étroit, aux planches disjointes, et que nombre de leurs frères sont tombés dans la rivière.

L'hiver, il y a souvent trente centimètres de neige dans le village et parfois même jusqu'à un mètre. On suit les chemins tracés par les gens qui nous ont

---

1. Le pont est aujourd'hui (comme la plupart des ponts au Tibet) abondamment décoré de drapeaux de prières.

précédés, mais il arrive que la neige nous monte jusqu'aux cuisses.

La vie en hiver s'avère au moins trois fois plus difficile qu'en été, alors qu'en France, c'est à peine si on fait la différence. Ainsi, le soir avant d'aller se coucher, nous devons tous aller faire pipi. Mon frère Nyiko apprécie peu quand je m'oublie dans le lit que nous partageons. Alors, nous sortons tous de la maison en rang d'oignons pour nous diriger vers le lieu réservé à cet usage, à une vingtaine de mètres. La nuit est noire, et parfois la neige tombe. Avant de nous coucher, nous rentrons les peaux de mouton qui nous servent de couverture et que nous avons mises à geler dehors pour tuer les puces. C'est une méthode très efficace : il n'y a plus qu'à secouer les peaux, et les puces mortes tombent de tous les côtés.

Grand-mère est la seule à utiliser un pot de chambre, source d'innombrables plaisanteries. En fait, je ne déteste pas me lever la nuit en hiver pour aller pisser dehors. Le froid me coupe le souffle quand j'ouvre la porte, mais au retour, quand je me glisse dans le lit tout chaud à côté de Nyiko, je me crois vraiment au paradis.

Ma famille ne dispose que de maigres moyens d'existence. Le village compte deux équipes de production, ou « brigades », en fonction de l'organisation dictée par les Chinois. Comme je l'ai écrit, ma mère travaille aux champs et mon père soigne les bêtes dans la montagne. Il gagne un peu plus que les autres, soit huit à neuf points par semaine. Chaque soir, le patron de l'équipe note sur un cahier le nombre de points gagnés par chacun. Le salaire moyen d'un paysan équivaut à six points, ce qui représente environ une vingtaine de bols de farine d'orge par mois. Ma sœur, qui fréquente le lycée, travaille aussi la terre pour gagner quelques points complémentaires.

Cette farine d'orge, qui n'a pourtant rien de raffiné, est notre régal. C'est d'ailleurs la base de l'alimentation des Tibétains. Il faut dire ici, c'est Mo-la qui me l'a raconté, que l'orge était pour les Tibétains d'autrefois un don du ciel. Le père fondateur de la race tibétaine, un singe venu de l'Inde, s'unit à une ogresse. Six enfants naquirent de leur union, alors qu'ils vivaient dans une grande misère. C'est alors que Chenresig (nom tibétain d'Avalokiteshvara, le bouddha de la compassion), pris de pitié à la vue de la maigreur des pauvres singes issus du créateur de la race tibétaine, leur fit don de six graines pour se nourrir.

— Tu dois toujours faire confiance à Chenresig, me disait Mo-la, il est si bon que pour venir en aide aux hommes, il s'est mis à réfléchir si intensément que sa tête a éclaté en dix morceaux. Il a fallu que le bouddha Amithaba crée dix nouvelles têtes avec ces dix morceaux pour permettre à Chenresig de continuer à soulager les hommes de leurs malheurs. Chaque jour, et plusieurs fois par jour, tu dois réciter en toi-même, puisque nous n'avons plus le droit de le faire à haute voix, la prière à Chenresig, que tous les Tibétains portent dans leur cœur : *Om mani padme om !*

La plus productive et la plus nourrissante des graines données aux singes par Chenresig était l'orge. De cette origine simiesque, les Tibétains gardent un système pileux et un sens de l'humour plus développés que les Chinois, et de leur mère originelle, une certaine agressivité et un incontestable sens du commerce.

La *tsampa* peut se manger telle quelle, mais les bouchées de farine sont en fait un peu dures à avaler. La meilleure façon de la consommer consiste à verser du thé au beurre salé dans un bol, puis un gros tas de *tsampa* au milieu. Ensuite, avec le doigt, on tourne et retourne le mélange jusqu'à obtention d'une pâte épaisse, que l'on serre ensuite très fort dans son poing fermé. Ce gâteau délicieux ne nécessite aucune cuisson.

Nous écrasons l'orge tantôt à la maison, pour les petites quantités, tantôt au moulin quand nous en avons plusieurs kilos. Papa est parfois payé par les paysans en orge ou en laine, ce qui nous assure quelques compléments. Pour faire griller l'orge avant de la réduire en farine, on mélange la graine à du sable et on met le tout à chauffer dans une poêle sur le fourneau, en remuant sans cesse le contenu de la poêle avec un petit balai de brindilles. Pour attraper la poêle brûlante, ma sœur ou ma grand-mère utilisent une sorte de longue pince en bois. Puis elles agitent le mélange jusqu'à ce qu'une bonne odeur d'orge grillée se répande dans la maison. Ensuite, il suffit de passer le tout à travers les mailles d'un tamis assez fin pour que le sable s'écoule et que l'orge demeure dans le tamis.

Pour moudre la farine à la maison, nous disposons d'un petit moulin en pierre dont la partie inférieure est striée pour bien agripper les grains, et la pierre du dessus percée d'un trou en son milieu (pour verser l'orge) et d'un autre près du bord de la meule, dans lequel on enfonce un bâton pour la faire tourner. Comme c'est assez long, et que notre famille est déjà nombreuse, nos parents nous envoient souvent, Nyiko et moi, au moulin à eau communal[1]. Nous y allons le soir pour ne pas avoir à faire la queue. La machinerie du moulin est très simple : nous versons l'orge dans une sorte de grosse poche en peau de yack dans

---

1. Le moulin est toujours là, au bord du ruisseau, et toujours aussi inquiétant. Y traîne encore la pelle qui sert à casser la glace quand l'eau du ruisseau a gelé.

laquelle elle s'écoule ensuite régulièrement en passant par une corne de yack avant d'arriver à la meule. Le travail se fait pratiquement tout seul, car c'est l'eau de la rivière qui se charge de faire tourner la meule. Normalement, nous devons rester tous les deux à dormir dans le moulin pendant tout le temps nécessaire. De temps en temps, il faut se lever pour vérifier que l'eau n'a pas gelé et que la roue tourne toujours. Mais Nyiko profite souvent de l'occasion pour ressortir en douce, dès que je me suis endormi, et aller voir les filles. Il n'y a pas de café au village, aucun véritable lieu de rencontre pour les garçons et les filles. Aussi, la plupart du temps, on se donne des rendez-vous nocturnes, l'été dans les champs, l'hiver dans le lit de la bien-aimée du jour.

Naturellement, on raconte qu'un génie était l'hôte habituel et le gardien du moulin. Chez nous, tous les lieux ont un gardien que nous ne devons pas offenser. Il y a ainsi le génie de la tente, de la maison bien sûr, du foyer (c'est le plus susceptible de tous – malheur à qui laisse tomber sur le feu ou dans la cendre des cheveux, des chiffons ou même de la soupe). Je suis régulièrement réveillé par le bruit des deux bâtons régulant la descente de l'orge qui frottent sur la meule. Dans cette petite maison éloignée du village, au bord du ruisseau habité par les génies des eaux, inutile de dire la frayeur que m'inspirent ces présences invisibles !

5

UN ÉTÉ SOUS LA TENTE

> *Les rois Lu sont dans tous les cours d'eau.*
> *Les rois Nyan sont dans les arbres et les pierres.*
> *Les Sab Dag sont dans cinq sortes de terre.*
>
> Poème tibétain

Une fois par an, au printemps, des militaires chinois arrivent à Pomdo comme dans tous les autres villages du Tibet. En souvenir de la Longue Marche, ils sont chargés d'exécuter des tâches utiles à la population. Il sont là pour « aider le peuple » puisque, officiellement, le cœur de l'armée bat à l'unisson de celui du peuple. Le plus souvent, cette aide consiste à raser la tête des enfants et à remonter de l'eau de la rivière. C'est pour nous un spectacle intéressant parce qu'ils n'utilisent pas de grosses cruches en terre, comme nous, mais des seaux accrochés à une palanche. En fait, cette aide reste assez symbolique, car les villageois, contrairement à la volonté du Guide, ne se sentent pas vraiment à l'unisson, et ont peur d'eux. Quand ils frappent à la porte des maisons pour proposer leurs services, la plupart des gens refusent. Moi, j'apprécie la tondeuse des Chinois, car d'habitude c'est Choto qui me coupe les cheveux avec un couteau mal aiguisé et l'eau de la rivière bien glacée.

Mai est le temps des labours et des semailles. L'homme passe une dernière fois dans le champ pour tracer le sillon, tandis que la femme suit derrière, cueillant dans son tablier la graine qu'elle sème d'un geste régulier. La terre, avant les pluies, est brune, comme les montagnes environnantes où l'herbe n'a pas encore commencé à repousser.

En vérité, les enfants de Pomdo ne manquent pas de distractions. Surtout l'été, quand ils sont enfin débarrassés de la maudite école du peuple et de son tortionnaire. D'avril à octobre, les Tibétains des villages (que l'on appelle *rongpa*) retrouvent leur âme de nomades, ces gens des plateaux nommés *drogpa* qui vivent toute l'année dans la solitude, à l'abri de leurs immenses tentes noires en laine de yack. Pendant la saison chaude, ma sœur s'occupe de yacks dans la montagne, au-dessus de notre village, et transforme leur lait en beurre et en fromage. Dès le début des beaux jours, on emmène les yacks brouter l'herbe fraîche des hauteurs et on dresse les grandes tentes dans lesquelles se fait toute la préparation fromagère. J'aime regarder Ané travailler, mais j'aime aussi la sensation de liberté qui s'attache à cette période de l'année, et me permet de me balader dans la nature et de me rouler dans l'herbe. On a alors l'impression que toute la suie et toute la crasse de l'hiver disparaissent peu à peu comme par miracle.

Sous une grande tente, Ané prépare le beurre dans une haute baratte en bois, munie d'une tige et d'un piston. La partie basse de la baratte est enfoncée dans la terre, à côté du fourneau. Elle fait tiédir une partie du lait dans une grande casserole, et verse le tout dans la baratte. Au fur et à mesure que le beurre se forme, Ané le décolle du fond à la main. Quand tout le lait est passé, Ané verse le petit-lait restant dans une casserole et le met à bouillir pendant très long-temps. Pendant ce temps, elle pétrit les petites mottes avec ses mains et les empile les unes sur les autres pour en former de grosses. Ensuite, elle les range dans les grandes feuilles d'un arbuste qui pousse au bord de la rivière, dont la tige est vénéneuse. Il faut donc détacher très soigneusement les feuilles que l'on utilise en guise de papier. On pourrait se dire qu'étant donné les activités d'Ané, notre famille aurait dû avoir large-ment de quoi manger, mais le comité veille et sait qu'en fonction du nombre de yacks dont elle s'occupe, elle doit rapporter une quantité de beurre précise...

Quand le petit-lait a bouilli assez longtemps, Ané filtre le contenu de la marmite dans un tissu et récolte à nouveau une sorte de pâte dont elle forme de petites boules de fromage qu'elle serre très fort entre ses mains avant de les mettre à sécher au soleil, à l'extérieur de la tente, sur un grand drap. Parfois, elle doit repartir au village ou plus haut dans la montagne, et me demande de surveiller les fromages, car les oiseaux auraient vite fait de manger toute sa produc-tion. Je suis là, seul ou avec Makhopa ou un autre copain, à agiter en tous sens un bâton en poussant des cris féroces pour éloigner les volatiles... Enfin, de temps en temps, seul et profitant du soleil, je suis vite pris d'une douce torpeur et le sommeil me gagne rapidement. Comme je suis un être aussi affamé que malfaisant, il m'arrive aussi de dévorer en douce quelques fromages.

— Ané, grande sœur, ce n'est pas ma faute, je me suis endormi cinq minutes et les oiseaux sont arrivés sans prévenir... !

Le petit-lait qui résulte de ce deuxième filtrage est parfois donné aux yacks, mais on peut aussi en tirer une denrée précieuse : Ané le remet à bouillir en y ajoutant du miel. Cette fois encore, la cuisson dure très longtemps, jusqu'à ce que le mélange soit un peu brûlé et se coagule sur les bords de la marmite. La récolte n'est pas abondante, mais ce mélange précieux est ensuite conservé dans des coques de noix vides. On perce des trous dans les deux moitiés de la coque pour les faire tenir ensemble. Les femmes portent ces noix attachées à la ceinture, car le mélange obtenu, que l'on appelle *mutse*, est une sorte de cosmétique très prisé des Tibétaines auxquelles il sert à la fois de maquillage et de protection contre les brûlures du soleil et du vent. C'est aussi cette sorte de pâte, diluée dans un peu d'eau, qui servait jadis à fabriquer l'encre brune avec laquelle ont été écrits la plupart des textes sacrés. Quant à moi, bien sûr, je m'arrange toujours pour en voler un petit peu et me régaler derrière un buisson.

Je profite aussi de la visite des oiseaux pour en attirer quelques-uns vers un horrible piège : caché sous la tente, j'attache une longue ficelle à la queue d'une casserole. Le bord de la casserole repose sur un bâton fourchu et je pose quelques graines d'orge dessous. Dès qu'un oiseau arrive, je n'ai qu'à tirer sur le fil, la casserole tombe et hop ! l'oiseau est à moi. Après, je n'ai plus qu'à choisir entre divers types de tortures possibles : soit j'attache un long fil à une patte de l'oiseau, je le laisse s'envoler et, lâchement, je l'arrête dans son envol et le tire à moi pour recommencer jusqu'à épuisement. Parfois aussi, avec Makhopa, nous dépouillons le volatile de toutes ses plumes et nous amusons à le regarder courir lamentablement sur le sol. Ou alors, nous l'emportons jusqu'à la rivière pour voir si, à défaut de voler, il est capable de nager. Notre victime favorite est un très bel oiseau, *Djelnak Jyolmo*, aux plumes vivement colorées, ou encore *Popo Pupchi* (grand-père déplumé), qui chante « poupou! poupou! poupou! », un bel oiseau noir et blanc pourvu d'une huppe, qui affûte à longueur de journée son bec sur les pierres. On l'appelle aussi le « secrétaire », car il a l'air d'un personnage sérieux, affairé à recopier des documents. Ce bon vieux secrétaire n'a qu'un défaut : sa fiente pue terriblement, et quand nous avons pillé son nid, il nous faut des semaines pour nous débarrasser de l'odeur, surtout qu'on ne se lave pas souvent les mains. Cette maudite puanteur nous trahit souvent et nous vaut pas mal de raclées. Il faut dire que ce comportement n'est pas très orthodoxe pour des bouddhistes, surtout dans un pays où l'on porte des semelles relevées au bout afin d'écraser le moins d'insectes possible !

Pendant que je m'active avec plus ou moins de zèle au service d'Ané, d'autres se livrent à trente-six activités. L'été est vraiment l'époque de la diversité. Certains enfants sont chargés d'aller ramasser des bouses de yack en prévision de l'hiver, d'autres vont couper de l'herbe. Bref, pour les parents, les enfants ne doivent jamais rester oisifs.

Souvent, je reste à dormir auprès des yacks sous la tente, et c'est un véritable enchantement de regarder les étoiles par la porte ouverte, ou de voir filtrer la lumière à travers l'étoffe au tissage lâche. Je pourrais rester ainsi à rêvasser pendant des heures. La tente n'est pas très étanche, et la pluie peut tout inonder. Dans ce cas, c'est une catastrophe pour tous, mais pas pour moi : j'adore écouter l'eau qui tambourine sur le tissu. Parfois aussi, Ané me demande d'aller garder les yacks un peu plus haut dans la montagne, la nuit. Elle me donne une grosse couverture et je suis censé rester éveillé pour éviter que les yacks ne s'écartent du troupeau ou ne se fassent dévorer par les loups, les léopards ou les hyènes. Dès qu'on entend le moindre bruit, il faut se lever et aller voir ce qui se passe. Les loups ne sont jamais loin. Et quand on voit un vautour tournoyer dans le ciel, on sait qu'une chèvre, une brebis ou un chevrotain porte-musc vient de passer un mauvais quart d'heure.

La nature est pour moi une source de joie perpétuelle. J'adore observer les animaux dans leur élément et je demande souvent à Mo-la de me raconter des histoires à leur sujet. D'ailleurs, presque tous ses récits et chansons mettent en scène des animaux. Je me souviens en partie de l'une d'entre elles, qui débute par l'évocation d'un cheval :

> *Un cheval m'appelle de l'autre côté du col.*
> *Il a la puissance des chevaux du vent.*
> *J'ai puisé dans la cruche un bol d'eau fraîche,*
> *Et je me souviens de ma mère qui chantait d'une*
> *belle et forte voix…*

Et encore :

> *Quand le cheval hennit doucement,*
> *Je me souviens de la tendresse de ma mère.*
> *Quand le joueur de flûte passe en jouant,*
> *Je me souviens de mon amoureuse…*

Je me souviens d'un homme défiguré par un coup de griffe d'ours. Surpris par cette cicatrice, je demande des explications à ma grand-mère. Un couple d'ours venait de perdre ses oursons. Un jour, l'ours trouva un nouveau-né humain et l'emporta dans sa caverne. Trois mois plus tard, un berger entendit des pleurs et des rires en provenance d'une grotte. On récupéra l'enfant, mais il ne survécut guère à son retour chez les hommes. Ses gestes étaient devenus ceux d'un ourson. L'homme à la face griffée était l'un des sauveteurs du bébé.

Le printemps au Tibet commence souvent par de la neige. Le toit du monde est un pays sec, car la mousson ne franchit pas souvent l'Himalaya. Peu à peu, l'atmosphère se radoucit et la nature revit.

À la fin des mois chauds arrive l'automne, et tout le village est pris d'une fièvre d'activité. Les paysans, inquiets du changement climatique, redoutent la grêle qui ruinerait leurs cultures. Ils se dépêchent de moissonner et de ramasser l'herbe qui nourrira les bêtes pendant l'hiver. Les enfants sont réquisitionnés pour travailler aux côtés des adultes. Très tôt le matin, un villageois sonne le rappel dans une conque. C'est l'heure de se rendre aux champs. On ne s'arrêtera qu'à midi, heure du déjeuner, et on ne rentrera pas à la maison avant 22 heures. Comme d'habitude, les enfants chinois font du zèle : ils plantent leur drapeau rouge et lisent les pensées de Mao pendant la pause. Ils chantent des chants à la gloire des héros du peuple et imitent Dri Yukong, héros de la Révolution culturelle, modèle pour les paysans communistes. Dri Yukong est un peu notre Stakhanov, et nous le maudissons car c'est à cause de son déplorable exemple que nous sommes obligés de travailler comme des bêtes. Alors nous composons et murmurons des chansons interdites :

Le drapeau rouge nous donne toute sa force,
Mais Dri Yukong est source de tous nos maux !

Parfois, grand-mère est inspirée et, surtout, elle est persuadée d'avoir un enseignement à nous transmettre.

Un tel sentiment l'anime visiblement le jour où elle me raconte l'histoire de Tashi Dragye... J'ai remarqué que lorsque je raconte cette histoire à un Occidental, il n'y comprend rien et trouve la fin trop difficile à supporter, alors qu'à nous, Tibétains, elle paraît non seulement naturelle mais aussi réconfortante. La voici, telle que me l'a racontée Trois Joyaux, ma grand-mère. Jugez par vous-même !

Il est, au nord du pays, une région magnifique, couverte de forêts peuplées de toutes sortes d'animaux sauvages, baignée d'innombrables sources cristallines qui chantent sous les arbres immenses. Au sommet de la montagne règne éternellement la neige. C'est là que demeure le lion des neiges. À flanc de montagne vit le peuple des cerfs et des biches parmi les fleurs aux mille couleurs. Au pied de la montagne, c'est le domaine des hommes, des chasseurs nomades.

Dans ces montagnes vivent depuis toujours une biche, la belle Phelzom, et un grand cerf, Tashi Dragye. Alors que tout semble devoir les réunir, la biche ne laisse pas s'approcher le cerf, car elle connaît la souffrance qui s'attache à la naissance. Cette souffrance, elle la refuse, elle la fuit. Elle est, dans la montagne et sur terre, le seul animal qui a conscience de cette souffrance. Les humains, qui la connaissent aussi, se laissent tout de même submerger par le désir. Elle, non.

Le rusé Tashi Dragye décide alors de prendre la belle par surprise. Un jour, il vient boire à la source. Après avoir étanché sa soif, il comble le trou d'eau en y poussant des pierres de sa patte avant droite, et part se cacher dans le bois. Gracieuse, Phelzom arrive derrière lui pour boire et écarte délicatement les pierres de sa patte avant gauche. D'un bond, Tashi Dragye est sur elle.

Au printemps suivant, Phelzom donne naissance à un faon. La nuit vient de tomber, et l'étoile que l'on appelle « Six-Médecins » s'est levée dans le ciel. Le faon portera le nom de cette étoile.

Le nouveau-né se met aussitôt à gambader. Il joue, broute et dort entre son père et sa mère réconciliés. Il ne connaît ni la peur ni la souffrance.

Un jour, peu avant l'aube, Phelzom se réveille en sursaut, toute tremblante du rêve qu'elle vient de faire.

> *Réveille-toi,*
> *Tashi, mon ami, et partons dans la montagne.*
> *Mon rêve m'a dit*
> *Que le chasseur arrivait avec ses chiens pour nous tuer.*
> *Réveille-toi,*
> *Tashi, mon ami, et partons dans la montagne.*
> *Mon rêve m'a dit*
> *Que notre petit resterait tout seul dans la forêt.*

Par trois fois, elle lui donne une tape sur le dos, et regarde à droite et à gauche, tourmentée, inquiète. Tashi se retourne et répond :

> *Paroles de femme, paroles de femme*
> *Sont comme pierres au flanc de la montagne.*
> *Toujours on les remonte, toujours elles redescendent.*
> *Toujours elles coulent au flanc de la montagne.*
> *N'aie crainte, ô ma Phelzom, et dors paisiblement.*
> *Le sommeil est l'un des grands bonheurs de la vie.*

Puis, s'étant retourné par trois fois sur son lit de feuilles, le grand cerf incrédule se rendort jusqu'au lever du jour.

Au petit jour, une nombreuse troupe de chasseurs débouche de la plaine. Armés jusqu'aux dents, ils semblent avoir mille bras et mille yeux. Il en arrive toujours plus, montés sur leurs rapides chevaux. Une seule idée les anime : tuer, tuer, tuer tout ce qui leur tombe sous la main.

Phelzom tend le cou, ses beaux yeux noyés de larmes. Le chasseur qui l'aperçoit marque un temps d'arrêt. Quelle bête splendide ! Pourtant, il bande son arc et tire. Phelzom est parmi les premiers animaux massacrés.

Tashi s'enfuit en entendant le galop des chevaux, mais revient bientôt en arrière pour protéger le faon. Hélas, sa haute taille le fait vite repérer, et il tombe à son tour sous les flèches des chasseurs.

Six-Médecins, épouvanté, fonce aveuglément dans les bois et parvient à leur échapper. Il court, court à perdre haleine et finit par rencontrer un groupe de cerfs, mais ceux-ci, affolés, cherchent à protéger leurs petits et à fuir toujours plus loin et ne lui prêtent pas la moindre attention.

Soudain, le monde n'a plus le même visage pour le petit faon. L'herbe qu'il broute n'a plus de goût. La nuit, il n'arrive plus à trouver le sommeil. Six-Médecins découvre la souffrance que redoutait tant sa mère. Cette souffrance l'habite, ne le quitte plus. Elle fait partie de lui.

Tous les jours, Six-Médecins vient à la source, il baisse la tête et pleure. Il attend, attend il ne sait quoi, mais ne supporte plus cette souffrance. Désormais, il n'espère plus qu'une chose : qu'un chasseur vienne le tuer. Il est seul, seul avec sa souffrance. Un jour, n'en pouvant plus de vivre dans ce lieu où tout lui rappelle les temps heureux, il descend dans la plaine.

Le voilà, au bord du chemin, attendant qu'un chasseur vienne le tuer. Mais les chasseurs sont rentrés chez eux, et personne ne passe sur le chemin. Enfin, un soir, au coucher du soleil, un point apparaît sur l'horizon. C'est un lama à cheval accompagné de son serviteur.

Lorsqu'il aperçoit Six-Médecins, seul avec sa douleur, le lama descend de cheval et caresse tendrement le faon, le cœur empli de compassion. À la nuit tombée, le lama comprend que rien ne saurait apaiser la douleur du jeune cerf. Il comprend alors ce qu'il doit faire et ordonne à son serviteur de tuer le faon. Mais celui-ci, stupéfait, s'indigne :

— Je ne suis pas un grand lama, je ne suis pas un Éveillé. Cet animal n'a pas commis de faute. Pourquoi le tuerai-je ? Si vraiment tu veux qu'il meure, tue-le toi-même.

Et il se détourne pour ne pas voir la suite.

Le lama se prosterne par trois fois devant le petit faon et dit :

— Je connais ta souffrance. Tu attends de mourir, là, au bord de la route. Ce n'est pas pour mon plaisir que je te tue, mais c'est pour toi, pour te libérer de ta souffrance.

Il sort alors un couteau et le plonge dans la gorge de l'animal.

Alors, le serviteur se retourne, se prosterne par trois fois devant le lama et lui demande son pardon. Le lama prononce alors ces sages paroles :

— Ce n'est pas ta faute. Mais ton cœur est plein de mauvaises pensées qui t'ont empêché de voir la souffrance du petit cerf. Une souffrance sans fin. Le remède à une telle souffrance, on ne peut le trouver qu'en soi-même. C'est lui qui a choisi de mourir.

Le lama et son serviteur accomplissent alors les gestes rituels pour accompagner le petit faon dans la mort. Ils brûlent son corps et ramassent les cendres qu'ils recueillent dans une boîte, puis s'endorment. Cette nuit-là, le lama fait un rêve. Une grande déesse blanche, Tara, lui apparaît, portant un petit garçon dans ses bras :

> *Merci, lama, pour ta grande compassion.*
> *Merci d'avoir libéré mon fils de la souffrance.*
> *Merci, car chaque être vivant a droit au bonheur.*
> *Merci, car sa prochaine vie sera bonne.*

Puis elle disparaît, comme l'arc-en-ciel, vers l'ouest.

Le lendemain, le lama et son serviteur prennent paisiblement leur repas à la lumière du soleil levant et repartent sur la route.

*

À ce moment-là, je pose ma tête sur les genoux de ma grand-mère :

— C'est vrai, grand-mère, les animaux aussi connaissent la souffrance ?

Comme trop souvent, elle ne me répond pas. J'apprendrai plus tard que l'on dit aussi aux enfants français : « Ce n'est pas de ton âge, tu ne peux pas comprendre. » Pourquoi tant de choses seraient-elles incompréhensibles aux enfants ? Si nous nous posons des questions, pourquoi ne pourrions-nous pas comprendre ou supporter les réponses ?

La faim demeure un problème constant. Les orties que ramasse grand-mère au bord des routes pour préparer la soupe contiennent sans doute beaucoup de vitamines et de bonnes choses, mais elles ne remplissent pas vraiment le ventre, surtout en hiver. D'ailleurs, c'est au printemps que les orties sont vraiment bonnes. Quand on aperçoit les petites feuilles qui pointent sous une pierre, on soulève le caillou et, dessous, on découvre les tiges jaunes et tendres. Les orties représentent une bénédiction pour les Tibétains. Elles donnent des forces et nous permettent de repartir, comme la végétation, après l'hiver. Nous en mangeons aussi à la saison froide, mais alors il faut les éplucher, c'est-à-dire en retirer les graines avant de faire la soupe. Nous y ajoutons un peu de farine d'orge et nous voilà calés, pour bien peu de temps hélas ! Nous faisons aussi sécher des orties pour nourrir les bêtes en hiver. Elles servent aussi à la fabrication de fouets pour les enfants indisciplinés. Chotil connaissait bien cet usage dont mes fesses se souviennent encore.

Les orties sont tellement appréciées chez nous que l'on ne nettoie jamais la marmite dans laquelle on a fait cuire la soupe. On dit que ce sont les vieilles feuilles collées au fond qui lui donnent son bon goût. Une marmite peut être tellement imprégnée d'orties que, quand on la casse, on dit que l'on récupère un « pot d'orties ». C'est une manière de parler du réel et de l'irréel, de la vie et de la mort : le pot est cassé, comprenez la vie est finie, mais sa qualité intrinsèque existe, perdure pour toujours. D'ailleurs, l'un de nos plus grands poètes et maître à penser, Milarepa, était un grand mangeur d'orties. Pendant toute la période pendant laquelle il vécut en ermite dans une grotte, il ne se nourrissait que d'orties sauvages, et c'est pour cela qu'on le représente souvent avec le visage et le corps tout verts.

Ermite voué au silence, il eut un jour à souffrir une dernière perte : celle de son cher pot à orties. Le sage fit un faux mouvement, et le pot tomba et se cassa. Milarepa ne put que constater le dommage irréparable. Sa tristesse devant ce petit incident lui fit comprendre qu'il était loin d'être aussi détaché de tout qu'il le croyait. La clairvoyance lui inspira donc d'appeler ce pot « grand lama », car il venait de lui donner une précieuse leçon de détachement.

Au village, les orties provoquent un jour un drame : Tungdron Gmepa, ancien propriétaire devenu humble balayeur du village, a un fils de mon âge, Alisha. Au début du printemps, époque à laquelle les pousses sont fraîches et tendres, son frère Gomsheva part ramasser des orties. Mais il connaît mal les plantes et cueille des herbes toxiques. Alisha, le plus jeune de la famille, en meurt. Son cadavre bleu et tout gonflé est exposé sur la place du village, puis, comme toutes les choses impures (et comme les cadavres d'enfants en bas âge), jeté dans la rivière.

Toujours à propos d'orties, je me souviens d'une escapade avec ma grand-mère. Mo-la m'entraîne dans la montagne pour ramasser de jeunes orties, mais dans une direction inhabituelle, en remontant la rivière des dieux. Après une petite heure de marche, nous atteignons un hameau en ruine que je ne connais pas. On y trouverait des orties bien tendres. J'aperçois ma grand-mère qui se penche dans un coin où ne pousse visiblement rien, et qui se met à gratter la terre et à tirer sur un vieux bout de tissu qui dépasse du sol. Je m'écrie :

— Grand-mère, que fais-tu ?

— Rien, rien, chut, laisse-moi faire, Akönpa.

Et voilà que grand-mère tire de sous la terre un chiffon qui contient un objet rond. Je pense aussitôt à un crâne et frémis d'avance. Mais grand-mère s'assoit sur un muret et défait soigneusement le nœud du chiffon. À l'intérieur, se trouve un magnifique bol en bois doublé d'argent. Je n'ai jamais vu un aussi bel objet.

— Mais comment savais-tu que ce bol était là ?

Mo-la me parle d'un air rêveur, en caressant doucement le bol de ses mains ridées :

— Mon petit, ce bol est un grand souvenir. Il appartenait à mon mari Po-bo Dje, celui qui a élevé ton père. Un jour, quand j'étais très jeune, je suis venue dans cette vallée pour garder les yacks. Et c'est aussi dans ces pâturages qu'il menait brouter ses chevaux. J'avais dix-huit ans. C'est ici que je suis tombée amoureuse de lui. Il m'a offert le seul objet de valeur qu'il possédait. Chez nous, le bol est un objet personnel. Dans la tradition tibétaine, quand un garçon donne un bol à une fille, cela veut dire qu'il veut aussi partager sa cuisine, donc sa vie. En repensant à ce bol aujourd'hui, je me remémore cette époque heureuse. Maintenant, je n'ai plus qu'à accepter l'idée de la mort et à attendre de le retrouver quand nous serons réincarnés.

Pour la première fois, je vois une larme couler le long de la joue de Mo-la. Nous sommes là depuis un bon moment. Elle met le bol dans sa poche et me tient serré contre elle. Enfin nous ramassons des orties et retournons à la maison. Je ne reverrai jamais ce bol. Je ne saurai jamais où elle le cacha.

Aujourd'hui, ces orties des montagnes me manquent. Celles d'ici ne ressemblent que de très loin aux orties blanches de mon enfance. Il m'arrive parfois d'en manger chez un ami tibétain qui vit en Suisse et en reçoit de l'Himalaya. C'est un grand moment de nostalgie et de gourmandise !

La famille s'agrandit : nous sommes maintenant six enfants à la maison. Une petite sœur est née il y a peu. Maman a accouché dans un coin de l'étable, cachée par un rideau, en position accroupie, comme toutes les Tibétaines. Elle n'a pas accouché à la maison pour ne pas souiller le foyer familial. Nous, les enfants, n'avons rien vu, excepté Choto. On m'a raconté aussi que maman avait appuyé trois fois sur son nombril pour accélérer la naissance. Quand le bébé est né, on a fait trois nœuds au cordon ombilical, que l'on a ensuite coupé à égale distance de ces nœuds, en trois fois. Ensuite, on a lavé le bébé, on l'a essuyé et on a posé sur sa langue une pilule portant la lettre *Shri*, qui lui donnera la sagesse et lui permettra de réussir dans la vie. Après, on l'a nettoyé avec de l'huile et des herbes médicinales qui doivent le protéger contre la plupart des maladies. Pendant quelques mois, maman lui frottera la tête plusieurs fois par jour avec de l'huile de sésame. Enfin, pour que le bébé ait toujours une bonne vue, on a étalé sur la plante de ses pieds une pommade à base de cumin et de cannelle.

Quelques jours après la naissance, les gens du village défilent à la maison pour offrir un *khata*[1] au bébé et poser une pincée de *tsampa* sur son front. Il paraît que cela écarte le mauvais sort.

Maintenant, le bébé dort avec maman qui le nourrira jusqu'à l'âge de deux ans. Dans la journée, elle l'attache sur son dos dans une couverture carrée appelée *sen* pour partir au travail. Dans ce *sen* couvert de broderies représentant des motifs protecteurs,

---

1. Écharpe blanche très fine et légère que l'on passe autour du cou de celui ou celle que l'on veut accueillir ou honorer et dont on entoure statues saintes et images pieuses.

le bébé est bien à l'abri. Se protéger des mauvais génies, telle est la préoccupation constante des Tibétains. Malheureusement, ils n'ont pas su se protéger des Chinois, qui sont bien les pires mauvais esprits qui soient. Mais le bébé doit aussi être protégé des aigles qui chassent dans la montagne, c'est pourquoi maman le garde bien attaché sur son dos. Au printemps, les agneaux et les chevreaux aussi doivent être protégés des rapaces. Pour cela, on leur marque le dos d'un gros trait de peinture rouge.

Tashi Dolma est une petite fille. Son nom lui a été donné plusieurs mois après sa naissance. Les noms sont donnés par le lama, au moment des rites festifs, quand il coupe les premiers cheveux du bébé. Ce rite ne pouvait pas être célébré du vivant de Mao, c'est pourquoi j'ai gardé le nom que mes parents m'avait attribué, jusqu'à ce que le dalaï-lama me donne son propre nom : Tenzin. Quand le bébé commence à marcher, toute la famille observe ses moindres faits et gestes pour découvrir si elle est ou non la réincarnation de quelqu'un de connu. Le moindre signe peut être pris en compte dans sa manière de se déplacer, de parler, de manger... Les qualités morales et spirituelles d'un sage ou d'un moine ne sont pas perdues, puisqu'elles peuvent revivre chez un nouveau-né. Certaines personnes pleines d'imagination ont répandu au Tibet l'idée que j'étais moi-même l'un de ces êtres, un *tulku*, parce que j'avais été reçu par le dalaï-lama en Inde. C'est naturellement faux et le dalaï-lama s'est davantage inquiété de ma santé que de ma vie spirituelle. Les souffrances que j'ai endurées au cours de mes séjours dans les prisons chinoises me donnent à penser que j'ai sans doute négligé les conseils d'un bon maître dans une vie antérieure. Il me reste un long chemin à parcourir pour purifier mon *karma*[1]. Tout petit, on me considérait davantage comme un diable, un garnement maraudeur en quête de bêtises que comme un être doué de compassion.

Les réincarnations du bouddha ne sont pas forcément bienvenues, malgré les signes extraordinaires qui les imposent. À quelques kilomètres de Pomdo, au village de Saza, une femme d'origine très modeste a donné le jour à un enfant dont le père ne voulait pas. La malheureuse était partie accoucher dans la montagne, et avait abandonné le nouveau-né. Mais l'instinct maternel l'a ramenée sur le lieu de l'abandon. Quelle ne fut pas sa surprise et sa joie quand elle découvrit le petit garçon vivant, lové sous les ailes d'un aigle. Devant ce miracle, elle décida de nourrir le petit et vécut dans l'écurie en attendant que le père l'accepte. En grandissant, l'enfant donnait tous les jours de nouveaux signes de son étrangeté et accumulait les prodiges. On raconte qu'il traversait les rivières sur son manteau et que l'empreinte de son pied restait marquée dans la pierre. Mais l'enfant du miracle était rejeté par les habitants de son village. Il se fit moine au monastère du Nid de Vautours, puis à Taglung. Mais là encore, il dut supporter la jalousie des autres. Il partit alors pour Lhassa où il parvint à passer inaperçu, puis il décida de s'enfuir en Inde. Je n'oublierai jamais le nom de ce garçon, qui était sans aucun doute un *tulku*, l'incarnation d'un saint ou d'une divinité, « victoire du bouddha éveillé ».

---

1. Ensemble des fautes et des mérites qui nous suivent dans la réincarnation.

6

LA FÊTE DE L'ÉTÉ

Mon cœur ne se sépare jamais du
bouddha passé, présent et à venir.
Le bonheur est fortuit dans cette vie
Et le parfait éveil sera dans la sui-
vante.

Milarepa

Les chevaux filent le long de la route de terre, entre les murs de pierre sèche. Les cavaliers, couchés sur l'encolure de leurs bêtes, ne se préoccupent guère de les guider. Il s'agit de foncer, tête baissée, pour arriver le premier. Mais les chevaux fougueux n'ont jamais été montés. C'est la première fois qu'ils éprouvent cette étrange sensation de poids sur leur dos. Alors ils se bousculent, évitent de justesse les pierres coupantes des murs, préfèrent entrechoquer leurs flancs en sueur.

C'est la fête du 1er août, la fête de l'été.

Sur le toit des maisons, sous un joyeux soleil, flottent les mille drapeaux de prières[1] du village. En

---

1. Les *loungtas*, ou drapeaux de prières, sont des guirlandes de morceaux d'étoffe accrochées à un fil, sur lesquels figurent

89

bouquets perchés au sommet d'un mât, en guirlandes accrochées d'un mât à un autre au-dessus des maisons, ou du haut de la falaise au faîte d'une maison. Couleurs douces ou vives, toutes chargées de signification. Les villageois changent les drapeaux chaque année, pour la fête du nouvel an. Ainsi, les couleurs ne sont jamais fanées. C'est le luxe, la parure d'un village tibétain. On les appelle « chevaux du vent ». Le vent, en les faisant claquer, lit les *mantras* inscrits sur la toile et le cheval imprimé au centre emporte à travers le ciel et jusqu'aux dieux les prières des occupants de la maison. Ces jolies taches de couleur, issues de la tradition *bön*[1], ont une signification. Je découvrirai plus tard comme il était beau de donner un sens aux couleurs, de les rattacher aux cinq éléments dont dépend la vie : le bleu représente naturellement l'air, le ciel ; le blanc, les nuages, l'infini de l'espace ; le rouge, le feu ; le vert, l'eau jaillissante des torrents ; et le jaune, la terre généreuse qui nourrit les hommes.

Tout en bas du village, une femme arc-boutée grimpe péniblement le sentier qui remonte de la rivière, une grosse jarre remplie d'eau accrochée sur

---

des textes de prière *(mantras),* ainsi que les animaux protecteurs du Tibet : le cheval au centre, qui représente le souffle vital, la lionne (à l'est), le dragon (au sud), le tigre (à l'ouest) et l'aigle Garuda (au nord). D'autres drapeaux sont accrochés à des branches de genévrier et groupées en bouquet aux quatre coins de la maison. Les drapeaux de prières, interdits pendant la Révolution culturelle, sont aujourd'hui omniprésents au Tibet. Outre les maisons, on les rencontre sur tous les lieux « habités » par les esprits : montagnes, cols, ponts, rivières, etc.
1. Ancienne religion du Tibet, avant l'introduction du bouddhisme.

son dos par un harnais qui lui barre la poitrine, indifférente à la fête qui se prépare[1].

Pourtant, déjà, le *chang*[2] commence à faire son effet. Dans le grand enclos à bestiaux, désert en cette saison puisque les bêtes sont en altitude, les villageois dansent et chantent avec un entrain inhabituel. Toute la population a eu droit à une distribution supplémentaire d'orge pour préparer la bière traditionnelle. La fabrication du *chang* a commencé depuis quelques jours. Elle se déroule en trois étapes : d'abord, on fait bouillir l'orge dans de grands chaudrons, puis on renverse cette bouillie sur des draps de laine pour la faire sécher au soleil. On ajoute ensuite une sorte de levure et des herbes, et on malaxe le tout dans le drap. On verse la bouillie dans une grosse jarre de terre cuite et on laisse reposer pendant trois ou quatre jours dans la grange. Plusieurs fois, mon père va soulever le couvercle pour voir si le mélange sent l'alcool. Quand l'orge a bien fermenté, on ajoute plusieurs litres d'eau, on referme et on attend encore un jour. Enfin, on retire le *chang* à la surface, et on rajoute de l'eau. On peut répéter l'opération jusqu'à trois fois, mais bien sûr la dernière passe donne une boisson très légère et peu alcoolisée. On ne jette rien, et la bouillie qui reste nourrira les yacks.

De temps en temps, un cavalier semble vouloir se jeter à bas de sa monture. C'est que les récompenses jalonnent le chemin. Récompenses bien peu extraordinaires, mais quand même : quelques paquets de cigarettes semés tous les trente ou cinquante mètres. Les

---

1. Aujourd'hui, le bidon est en métal, mais l'eau pèse toujours aussi lourd.
2. La boisson alcoolisée locale, fabriquée avec de la farine d'orge.

sponsors qui les ont posés là, ainsi que quelques *khatas*, sont les fonctionnaires responsables du village. Il faut savoir basculer, se raccrocher à la crinière, et d'une main leste attraper au sol le prix convoité. Les cavaliers sont des jeunes de treize ou quatorze ans, parfois moins. Au Tibet, on dit qu'un garçon est adulte quand il est capable de diriger un cheval. Nous sommes bien entraînés car, souvent, la nuit, nous allons emprunter les chevaux des militaires dans leur enclos pour nous balader. Nous montons à cru et galopons sous la lune. Makhopa et moi ne nous lassons pas de ce plaisir. Pourtant, un jour, je suis tombé et le cheval de Makhopa qui suivait le mien m'a donné un coup de sabot sur la joue. Après ces folles chevauchées, les chevaux sont couverts de sueur et nous les menons à la rivière pour les laver et faire disparaître les traces de leurs courses nocturnes. Le lendemain, nous avons la peau des fesses arrachée et nous la soignons à l'aide de cataplasmes de crottin de cheval. Une sorte d'homéopathie. Nos parents s'étonnent de nous voir nous asseoir avec des précautions infinies, nous balançant d'une fesse sur l'autre.

La course se déroule toujours à l'aube. Le soleil semble faire un clin d'œil au village en apparaissant tantôt à gauche (en hiver) et tantôt à droite (en été) du sommet de la pyramide, la montagne pointue qui domine Pomdo de sa masse majestueuse. Celle-ci a toujours été considérée par les villageois de Pomdo comme une montagne sacrée. À vrai dire, toutes les montagnes sont sacrées au Tibet, mais certaines plus que d'autres. Makhopa monte aujourd'hui un cheval très rapide. Il est vêtu de ses plus beaux vêtements qui lui donnent un air de prince. Pourtant, la récompense prévue pour le vainqueur se limite à quelques pots de *chang*...

La fête est très attendue. Selon la coutume, les hommes chargés de tuer les animaux dont nous mangerons la viande dans une soupe au cours de la journée se voient octroyer la tête de l'animal. J'ai demandé à mon père de tuer une chèvre, et nous allons nous régaler toute la semaine. Un vrai « cadeau » en pays bouddhiste, où rares sont les hommes qui acceptent de tuer un animal. Mon père est vétérinaire, et cela ne l'inquiète guère. Il existe dans le village une famille préposée à ce genre de tâches, les Konjura (famille de tueurs)[1].

Dans les tentes et aux alentours, les jeux s'organisent. Les adultes ont revêtu leurs plus beaux vêtements, c'est-à-dire leur *chouba* la moins rapiécée, ou la veste de soie que l'on conserve précieusement depuis des générations. Le soleil, les couleurs des robes, les drapeaux qui claquent dans le vent, tout concourt à faire de cette journée sans travail une fête mémorable.

Bien sûr, les membres du comité en profitent pour glisser quelques discours à la gloire du communisme. C'est toujours la même rengaine, une sorte de cours d'instruction civique au cours duquel ils égrènent sans fin les noms des ministres, annoncent les noms des nouveaux dignitaires dont nous devons nous souvenir. Pour nous aider, le chef du parti brandit des photos qui se ressemblent toutes. On ne sait jamais, si un Chinois passait par là, nous devrions savoir répondre aux questions…

Le soir, on allume de grands feux autour desquels les villageois dansent. D'habitude, il ne se passe jamais rien le soir à Pomdo. Nous n'avons pas l'électricité, et

---

1. Il s'agit encore aujourd'hui d'une tâche spécialisée et mal considérée dans les villages.

tout le monde se couche habituellement de bonne heure. Au contraire, ce soir, les hommes continueront à jouer aux dés ou aux cartes et à danser en titubant, jusqu'à ce qu'ils tombent raides sur place, endormis là jusqu'au lendemain.

Pendant ce temps, les enfants qui ne sont pas occupés à acclamer les coureurs jouent aux osselets. Le *thighi* est un jeu de nomades, qui ne demande que quelques os de chèvre de couleurs variées. Chacune des faces de l'osselet porte un nom, évoquant plus ou moins sa forme : « cheval », « âne », « chèvre », « mouton », « fesses de chien » et « pyramide ». Si l'on tire « fesses de chien » et « mouton », on a le droit de donner une pichenette pour obtenir la combinaison désirée. Celui qui tire « cheval » et « mouton » emporte la partie. Ce jeu est simple et fruste : on y joue avec deux osselets brunis, noircis par l'âge et la fumée. Celui qui tire les deux mêmes faces a le droit de rejouer. C'est une jeu réservé aux garçons.

Avec les osselets, nous pratiquons aussi un autre jeu, plus sportif. On délimite un terrain d'une dizaine de pas, puis on installe au milieu une grosse pierre plate sur laquelle on pose cinq osselets. Il s'agit ensuite, à partir d'une même ligne située à quatre ou cinq pas, de déloger les osselets posés sur la pierre avec un osselet plus gros, en annonçant à l'avance qu'on va envoyer l'osselet visé à deux, trois ou quatre pas. Celui qui réussit a le droit de rejouer, jusqu'à ce qu'il perde si le pari n'est pas tenu. Tout repose dans le geste : le bras doit passer par-dessus la tête pour que l'osselet du lanceur percute verticalement l'osselet projeté loin de la pierre.

Les filles, elles, pratiquent un jeu sophistiqué appelé *thibi*, qui demande beaucoup d'adresse. Il s'agit de lancer une balle avec les pieds, sans la toucher avec les mains, et de la faire rebondir sur le talon ou le devant du pied. On joue tour à tour, en comptant les points. C'est évidemment celle qui marque le plus haut score qui emporte la partie. La balle est une très jolie fabrication artisanale : un anneau creux de terre cuite, tout simple, dans lequel on perce des trous pour y planter des plumes de vautour qui dessinent comme une petite couronne, ou un jet d'eau. En fait, la balle de *thibi* ressemble un peu à une balle de badminton, mais en bien plus joli. La nécessité de se procurer des plumes de vautour donne l'occasion aux garçons de se faire bien voir des filles. Les filles jouent aussi à la corde à sauter, importée par les Chinois.

Le 1er août, après deux mois de mousson, tout est vert ou jaune selon les cultures. C'est une époque joyeuse pour tout le monde, parents et enfants. Vers la fin août, les champs d'orge arrivent à maturité. La moisson se fait à la faucille, et les champs sont noirs de monde : les hommes coupent, les femmes et les enfants lient les bottes. La moisson doit se faire vite. Le travail, comme la fête qui le précède, s'accompagne de chants rythmés.

7

DU CÔTÉ DE POMDO

> *Ses propres défauts, la foule des*
> *méchants*
> *Les prête aux autres, quels qu'ils*
> *soient.*
> *Son bec, qu'elle plonge dans les*
> *ordures,*
> *La corneille l'essuie sur un objet pur.*
>
> Sakya Pandita, poète du XIIIe s.

Nous jouons dans la montagne avec le grand-père de la famille Pelingsten, tout en gardant les yacks. C'est lui qui nous a appris à rouler les dés, un jeu traditionnel qui rendait fous les Chinois. Dans l'ensemble, tout ce qui nous amuse est interdit, surtout ce qui a trait à la tradition.

> *Viens le six, viens le six.*
> *Le Bhoutan est l'esclave du Népal.*
> *Tu porteras une cloche sur ton dos.*

Pour le huit :

> *Ne fais pas le paresseux,*
> *Attention !*
> *La mère a horreur de la paresse.*

Quant au quatre, il nous faisait bien rire :

La souris est si nerveuse
Que le cœur du chat est triste.

Si on tire un six et un trois, le trois au-dessus du six, on obtient l'image d'un homme penché. La comptine s'en inspire :

Attention, si tu te penches en avant
Une petite bête sortira de ton derrière !

Chacun des coups de dés s'accompagne d'une comptine, en fonction du nombre sorti. Autre particularité, que je n'ai retrouvée dans aucun jeu européen : si l'on joue le matin, c'est le plus jeune qui commence, et l'après-midi, c'est le plus vieux.

Il faut dire que le vieux Pelingsten est un ancien propriétaire, voué à la malédiction par l'occupant communiste, humilié, persécuté, battu, cogné, violenté chaque fois qu'il traverse le village. Je le vois encore marchant le dos courbé, dans l'attente des coups. Quand il mourra, les fonctionnaires, esclaves des Chinois, interdiront qu'il soit enterré au cimetière. Il le sera tout de même, mais à l'écart, à l'autre bout du village.

Question de hiérarchie sociale, il faut d'abord rappeler que, depuis l'arrivée des Chinois, tout est sens dessus dessous. Il y a toujours des malheureux et des privilégiés, mais voilà, la place de chacun dans la société s'est inversée. Les grands sont devenus les petits, les petits les grands, les riches les pauvres, et les notables les insignifiants et les persécutés.

Au bout du village, du côté du ravin qui domine la rivière, habite la famille Kapacho (dernière maison). La mère, Kalsang Lhamo (la joie de la déesse), a trois enfants. L'aîné s'appelle Lhapa Tsering (longue vie du vent), le second Lhapa Tsedar (victoire du vent) et le troisième Sonampa (le chanceux). Le père, je ne l'ai jamais connu : un jour il est allé comme tout le monde chercher du bois dans la montagne mais, en redescendant, il a laissé glisser son fagot et s'est pendu à la corde qui liait le bois. Au lieu de se réincarner, on disait qu'il était devenu un fantôme. À vrai dire, ses enfants étaient bien un peu bizarres avec leur visage marron. Dans leur très vieille maison, toute noircie par la suie, les Kapacho sont obligés de garder des torches allumées en plein jour. La mère est une belle femme, mais on raconte qu'elle doit coucher avec les partisans pour faire vivre sa famille.

Leurs voisins s'appellent Köpatho (la maison d'avant). Khopa Dolkar (un autre nom de Tara, la « déesse blanche », l'une des grandes divinités du Tibet) est un peu plus âgée que son mari, qui exerce le métier de colporteur et transite de village en village sur une charrette attelée. Pour son malheur, la déesse blanche n'a pas eu d'enfants et sa stérilité en fait un être méprisable. Au village, tout le monde l'appelle la mule, parce qu'elle ne peut pas se reproduire.

Grand et moustachu, Köpatho louche bizarrement : l'un de ses yeux se promène vers le ciel tandis que l'autre fixe le sol. Un jour, avec mon copain Makhopa, nous voulons escalader la charrette de Köpatho, mais Makhopa s'arrache un testicule, qui roule sous la charrette. Un attroupement se forme rapidement. Köpatho se jette par terre et cherche fébrilement entre les roues. Avec ses yeux louches, il ne voit pas grand-chose. On dirait que la petite boule s'est envolée. Mais tout à coup, je l'aperçois, arrêtée dans sa course par un tas de crottin. Elle est toute douce, toute chaude au creux de ma main. La mère de Makhopa arrive en poussant de grands cris. Je lui donne le morceau manquant de son fils. Elle le fourre dans sa poche et demande à Köpatho de l'emmener à l'hôpital à Lhundrup Zong. Là, on recoud la petite boule à l'intérieur de sa poche, comme la boulette de crevettes dans un ravioli chinois.

La famille Yasumpa (décalés, anormaux – il y a eu dans ce foyer une mort accidentelle, des mystères jamais éclaircis, et des filles qui ne trouvent pas de mari) est installée depuis longtemps dans le village, comme les familles Köpatho et Kapacho. Elle se compose d'une vieille femme du même âge que ma grand-mère et de trois enfants « anormaux ». Pheljorpa (le fortuné), conducteur de tracteur, est marié à une très grosse femme, qui s'appelle Tsultima (boudin). Pheljorpa est aussi connu sous le sobriquet de « cœur de chat », car il est très nerveux, toujours sur le qui-vive, et sursaute à tout propos. Ce peureux est aussi un dénonciateur, car il vit dans la terreur que lui inspirent les fonctionnaires. La sœur de Pheljorpa, Dolma, vit avec eux. Elle est mariée à un fonctionnaire qui vient d'un autre village. Sous ses cheveux frisés, elle a le visage couvert de grains de beauté de couleurs différentes. On dit que c'est une ancienne famille de sorciers, et tout le village les craint. Pendant la nuit, ils se livrent à des rituels étranges, brûlent des herbes en proférant des incantations et envoient dans l'air nocturne des petites bêtes qui entrent par les oreilles ou les narines des dormeurs, ce qui les rend fous ou leur attire toutes sortes d'ennuis. Toute la famille jette des sorts et des malédictions, et quand quelqu'un dans le village fait un cauchemar, il sait bien que c'est Dolma qui le lui a envoyé. Un jour, le mari de Dolma travaillait à la démolition du vieux pont de bois, qui devait être remplacé par un beau pont en béton. Malheureusement, en s'écroulant, le vieux pont lui est tombé sur la tête et il a coulé à pic. Le troisième fils de la famille a un corps et des manières de femme. C'est lui qui prend soin de sa mère. Les enfants l'insultent à cause de ses manières efféminées. Il a pourtant un travail viril. Il s'occupe du sevrage des veaux. Quand il traverse le village pour aller chercher de l'eau, lourdement chargé, les enfants lui tournent autour : « Montre-nous ta pine, t'en as pas ! » Il est cependant très serviable et aide les femmes à porter l'eau jusque chez elles. Personne ne fréquente les grosses filles frisées de cette famille, effrayantes dans leurs habits noirs.

La maison Bharnar (tente noire), nom très répandu au Tibet, au Sikkim et au Bhoutan, est un vaste édifice à étage, d'une dizaine de pièces, qui appartenait autrefois à ma grand-mère maternelle. Bien que ce nom rappelle les tentes traditionnelles des nomades, la maison est la plus grande et la plus belle du village.

C'est Mo-la, ma grand-mère paternelle, qui m'a raconté l'histoire de ma grand-mère maternelle. Dans les années 1920, une femme vivait quelque trente kilomètres en aval de notre village, dans la vallée. Elle avait un fils d'une quinzaine d'années, dont le visage était noir d'un côté et blanc de l'autre. Ce jeune homme s'appelait Ghagya Damnar. Un jour, une bande de nobles du gouvernement tibétain d'alors passèrent par le village, violèrent la mère de Ghagya Damnar et la tuèrent sans pitié. Le garçon décida alors de punir les agresseurs. Avec quelques amis, afin de venger sa mère, il se joignit à une bande de brigands qui parcouraient la région à cheval pour piller, rançonner et assassiner toutes les familles nobles et riches des environs, jusqu'à Lhassa. Les brigands qui dévalisaient les voyageurs et pillaient les maisons étaient une des plaies du Tibet d'autrefois[1]. Ce bandit au visage bicolore fut bientôt connu dans tout le pays.

La première fois qu'il passa par notre village de Pomdo, il remarqua une fille particulièrement jolie, Dowa Dolma (déesse de la lune), s'empara d'elle et en fit sa maîtresse. Grâce à cela, notre village fut épargné. Ensuite, il repassa fréquemment par Pomdo, sans aucun doute pour revoir Dowa Dolma !

Les nobles, incapables d'avoir raison de Ghagya Damnar, finirent par lui tendre un piège : à l'occasion d'un banquet qu'il partageait avec des amis, ils le firent empoisonner. Peu de temps après sa mort, un jour d'orage, la falaise qui dominait la maison de sa mère, en aval de Pomdo, explosa. Depuis, la légende court que Ghagya l'invincible est une sorte de dieu ou du moins un esprit très puissant.

Après la mort du treizième dalaï-lama, en 1933, Reting Rimpoche, qu'on appelait le « roi Reting », dirigeait le pays. Il eut la tâche difficile de découvrir le quatorzième et actuel dalaï-lama, né en 1935. La découverte du dalaï-lama chez des pauvres gens de l'Amdo, province éloignée de la capitale, qui faisait alors partie de la Chine nationaliste, ne pouvait guère

---

1. Dans le curieux musée « anti-anglais » de la forteresse de Gyantse, consacré en partie à l'invasion du Tibet par les troupes anglaises du général Younghusband en 1904, d'étranges mises en scène rappellent également les exactions des nobles de jadis, et les châtiments cruels infligés au peuple, et notamment aux voleurs et aux brigands de toute sorte. Dans l'une de ces scènes, où figurent des personnages en carton bouilli grandeur nature, on remarque un homme à terre, un autre assis sur son dos pour le maintenir au sol et un bourreau occupé à lui lacérer les cuisses à coups de fouet devant des juges impassibles. On affirme que, souvent, les muscles des cuisses étaient sectionnés par les coups et que le coupable restait infirme.

plaire aux vieilles familles de la capitale. Il y eut des rivalités, puis un conflit ouvert. Le roi Reting resta régent du Tibet pendant la jeunesse de l'actuel dalaï-lama, jusqu'en 1941, date à laquelle il renonça à son vœu de célibat et fut remplacé par le régent Taktra. Puis, en 1947, il fut arrêté pour avoir comploté la mort du régent Taktra et mourut en prison à Lhassa, probablement empoisonné. Ma famille se souvenait très bien comment Reting Rimpoche fut transporté à la capitale à dos de mule, animal méprisable et de mauvais augure. Nous connaissions d'autant mieux ce monastère que notre village en dépendait depuis toujours. Une vaste plaine nous en séparait, champ de courses des divinités tutélaires du pays, jalonné de pierres. Aujourd'hui, les Chinois organisent des courses de chevaux dans cette plaine.

Le roi Reting avait remarquablement organisé la découverte du dalaï-lama, avec l'aide de plusieurs groupes de moines bien informés. L'oracle national fut sollicité pour confirmer le lieu où il fallait effectuer les recherches. Il décrivit un temple au toit de jade et une ferme à l'architecture très originale. Alors que ses prédictions étaient parfois obscures et demandaient des interprétations complémentaires, il fut dans ce cas-là particulièrement explicite. On présenta au futur dalaï-lama plusieurs objets qui avaient appartenu à son prédécesseur, parmi des copies de ces objets. L'enfant ne se trompa pas une seule fois. Une fois l'incarnation reconnue par tous, il fallut négocier âprement avec le général chinois qui gouvernait cette partie de l'Amdo, pour obtenir l'autorisation de sortie du territoire. Le rusé seigneur de la guerre comprit assez vite qu'il pouvait tirer beaucoup d'argent des Tibétains.

Pour en revenir à l'histoire de ma famille, le conseiller du régent Taktra avait un fils fort paresseux que l'on envoya, sans doute en pénitence, exercer les fonctions de gouverneur de la région de Pomdo. On l'installa, comme tous les gouverneurs, dans le puissant *dzong*[1] de pierre qui domine le village, aujourd'hui détruit. Celui qu'on appelait Barbu Tente Noire fit la connaissance de Dowa Dolma et l'épousa. Il lui donna dix enfants (ma mère était la troisième) et de grandes richesses, avec lesquelles ils firent construire la maison Tente Noire. Les murs, à l'intérieur, étaient couverts de fresques peintes par des artistes. Hélas, j'ai à peine connu cette grand-mère dont la vie avait été si passionnante et qui avait permis dans sa jeunesse de sauver Pomdo. Quand les Chinois envahirent le Tibet, Barbu Tente Noire fut arrêté et emprisonné dans une autre forteresse. On m'a raconté que ma grand-mère allait le voir à pied, à des kilomètres. Hélas, le pauvre n'a pas résisté longtemps aux mauvais traitements de ses gardiens. Au temps de ma jeunesse, Dowa Dolma était encore jolie, toute petite, et n'avait plus qu'une dent, que je pris un jour pour un bonbon. Mais elle n'habitait plus la grande maison Tente Noire, où une vieille tante sourde, Trelyang Wa, demeurait seule avec sa fille. Mo-la, qui apprécie mon tempérament bouillant, me dit que je lui rappelle mon grand-père maternel. Je ne suis pas peu fier de ressembler à un seigneur, et regrette bien que nous soyons tombés si bas.

En fait, Trelyang Wa (petit pois noir) a eu, elle aussi, une drôle d'histoire. Elle n'avait qu'une fille, Sechawa (champignon). Mlle Champignon méritait bien son nom : elle était née presque par miracle.

---

1. Les *dzong* sont les châteaux forts du Tibet, dont la puissante silhouette, généralement en ruine, hérisse le sommet des collines dominant les bourgades de quelque importance.

Trelyang Wa, dans sa jeunesse, était farouche et refusait de se laisser approcher par les garçons. Un jour qu'elle s'apprêtait à partir garder les bêtes dans la montagne, un jeune du village proposa de l'accompagner. Elle ne dit pas non parce que c'était un gentil garçon, réputé pour ses talents de chasseur d'animaux et non de filles. Il promit à Trelyang Wa de lui apprendre à poser des pièges à chevrotains porte-musc[1]. Mais aussitôt le premier piège monté, il poussa Trelyang Wa en avant, qui s'écroula les quatre fers en l'air, avec un nœud bien serré autour de la cheville. Son chaperon ne fit qu'une bouchée de ma vertueuse tante, et c'est ainsi que naquit ma cousine Champignon.

La maison suivante est une auberge tenue par une famille récemment arrivée dans le village. La femme qui la dirige héberge les nomades lors de leur passage à Pomdo. Elle vend de la bière, prépare les repas et couche parfois avec ses hôtes, dit-on. Elle a deux enfants nés de père inconnu. Complétée par un vieux grand-père radin, cette famille n'a pas très bonne réputation. Ils sont un peu considérés comme des étrangers. Mais au moins, quels que soient les moyens employés, ils ont tous à manger.

Enfin, nous voilà chez moi, dans la forteresse *(zongpa)* de mon père Chotil, vétérinaire de son état. Fonction essentielle pour le village, elle lui permet, malgré l'ancien statut de propriétaire de ma mère, de ne pas être trop asticoté par les autorités. Dans notre

---

1. Comme son nom l'indique, le chevrotain porte-musc sécrète une substance odoriférante qui s'accumule dans une poche située près de l'estomac. Le musc s'utilise en parfumerie et ne peut être recueilli qu'en tuant l'animal.

maison naquit jadis, mort-né hélas, un poulain uni-corne! Juste à côté de chez nous se dresse la toute petite maison de grand-mère, dont la porte et les fenêtres minuscules interdisent le passage au moindre fantôme. Les murs et le plafond sont tapissés d'une croûte de suie d'un centimètre d'épaisseur, que l'on gratte une fois par an au moment du grand nettoyage de fin d'année.

La « cuisine » est en fait une sorte de four en terre percé de trois trous sur le dessus. Les lits sont égale-ment des coffres de terre. Mais nous jouissons de biens précieux : des matelas légués par le grand-père maternel, recouverts de lainage et bourrés de poils de chevrotain porte-musc. Chauds l'hiver et frais l'été, ces matelas constituent une vraie bénédiction.

Une cour, qui me paraît très grande dans mon sou-venir, s'étend entre les trois bâtiments : la maison de grand-mère (ancienne), notre maison (neuve et com-posée de deux pièces) et l'écurie. En fait, je dors où je tombe de fatigue : chez grand-mère, à l'écurie, chez mes parents ou sous l'auvent qui nous protège en été de l'ardeur du soleil. Je suis chez moi partout. Dans le jardin, ma mère cultive des légumes, surtout des choux et des pommes de terre. Toute l'année, nous nous occupons de nos deux yacks, de notre vache et de notre chèvre qui nous offrent leur lait. Mon père n'a pas de famille dans le village en dehors de sa mère. Il faut dire que son père naturel était un drôle de bon-homme... Ce qui suit, c'est Mo-la qui me le racontera quand je serai déjà grand.

Le mari de ma grand-mère s'appelait Po-bo Dje. Il n'était pas le père de Chotil, qui était le fruit d'un col-porteur, un homme qui laissa des enfants dans tous les villages du Tibet. Mon père me parla un jour de deux tantes qui habitaient vers le lac Namtso, mais je ne les ai jamais rencontrées. Une autre vivait au sud-ouest de Pomdo, à environ quatre-vingts kilomètres de chez nous. Mais c'est Po-bo Dje qui éleva mon papa, et qui lui apprit l'art vétérinaire, en particulier celui de soigner les chevaux. On disait au village que notre maison était autrefois une grande écurie. Po-bo Dje avait la passion des chevaux. Il connaissait tous leurs secrets. Un jour, sur la grande poutre qui traverse la maison, j'aperçois un gros livre. Je monte sur un banc pour l'attraper. Le livre est un manuscrit rempli de dessins que je ne comprends pas. Fièrement, je le montre à mon père, mais il me l'arrache des mains et sort de la maison, l'air courroucé. Comme d'habitude, je vais trouver grand-mère pour lui en parler.

— Ce que tu as trouvé est un manuscrit rédigé par ton grand-père Po-bo Dje sur la médecine tradition-nelle des animaux, me dit-elle d'un air très sérieux. Ces manuscrits sont interdits aujourd'hui. Le livre était caché et tu l'as sorti de sa cachette sans savoir ce que tu faisais. Ce n'est pas ta faute, mais surtout n'en parle pas. Tu m'as comprise, Akönpa?

— Grand-mère, je te jure sur la tête de Mao Zedong que je ne dirai rien.

À cette époque, c'est un serment très solennel! L'ironie est que j'ai promis au nom du Grand Timo-nier de cacher ce que lui-même aurait détruit sans hésiter. Pour me consoler, grand-mère sort de sa poche un morceau de fromage de yack tout noir, qui a bien un an…

Po-bo Dje tenait beaucoup à la formation de mon père. Non content de lui enseigner en personne ce qu'il savait, il obtint du frère de ma grand-mère, moine ermite en montagne, qu'il lui transmette lui aussi son savoir. Mon vieux grand-oncle vivait en retraite près du monastère du Nid de Vautours, dans la seule compagnie des plantes et des animaux. Dans les alpages et les bois, il connaissait les plantes utiles pour soigner les chevaux et les yacks. Mon père reçut une formation vétérinaire exceptionnelle, remplie de science et d'intuition. Notre vision bouddhiste nous permet de percevoir l'unité entre tous les êtres sensibles. Nous ne dressons pas de barrière entre l'homme et l'animal, comme le font les Occidentaux. Après tout, nombreux sont ceux qui se réincarnent sous la forme d'un animal !

Donc, prenant la suite de son père adoptif, Chotil fabrique des remèdes pour les animaux et donne des cours aux paysans sur les soins à leur prodiguer. Il va cueillir des plantes médicinales dans la montagne, les écrase dans un mortier et les fait bouillir dans l'eau. Ensuite, il fait sécher cette bouillie à l'abri du soleil et forme des boulettes, qui sont un peu les « comprimés » tibétains. Les yacks sont souvent atteints d'une sorte de cancer, et seul mon père sait les soigner : injections, remèdes, opérations. Grâce à ses talents, il a le droit de garder des chevaux (il faut bien qu'il puisse se déplacer). À l'occasion, les villageois viennent lui demander conseil pour leurs propres maux.

Nous arrivons maintenant chez notre voisin Cho-chopa (picoleur et têtu), qui habite une maison neuve. Il appartient à la famille de l'oracle, mais a épousé une fervente communiste. Ce sont deux tempéraments violents et, tous les jours, nous avons droit aux bordées d'injures et aux hurlements qu'ils échangent. Grand type costaud, d'allure un peu sauvage, il porte les cheveux longs. Il descend pot sur pot de *chang*. Je suis assez copain avec ses enfants, mais lui me fait peur. Tous les enfants du village le craignent : pendant quelque temps, il fut surveillant à l'école du village et, un jour de fureur, il coupa un bout d'oreille à l'un des fils de la famille Wongpa. C'était devenu une sorte de père Fouettard, dont on menaçait les garnements. On en avait naturellement déduit qu'il se nourrissait exclusivement d'oreilles d'enfants.

Pour nous, les petits, les effets du *chang* ont quelque chose de très mystérieux. Cette boisson transforme les adultes, en fait des personnages cocasses qu'il est impossible de respecter. Un jour, je me balade sans but à travers le village avec Makhopa, quand nous croisons Chochopa, complètement saoul. Nous courons vers lui en le montrant du doigt et en nous tordant de rire. Alors, le poivrot s'arrête en titubant, prêt à tomber, comme si seul le mouvement de ses jambes lui permettait de tenir debout. Il se met à chantonner une vieille rengaine entre deux hoquets :

Ne me dis pas que l'ivrogne n'a pas de qualités.
Le chant et la danse sont les qualités de
l'ivrogne !

En effet, il chante, il danse, malgré lui... Au bord du chemin, Pelingsten est occupé à récurer le caniveau. Je m'approche de lui :
— Regarde, grand-père, Chochopa a encore trop bu !

Pelingsten, honteux pour Chochopa, baisse les yeux en murmurant :

Laisse passer l'âne.
Les turbulences ne viennent qu'après.
Il a bu le poison sans réfléchir.
C'est après que vient la souffrance.

L'âne, l'âne ! Voilà le mot qu'il nous faut. Je cours vers Chochopa :

— Chochopa, tu es un âne, un âne, c'est grand-père qui l'a dit !

Je me retourne alors pour voir si Pelingsten approuve, mais il a disparu comme par miracle. Enfin, Chochopa s'écroule à terre, vaincu par l'ivresse. Makhopa et moi n'avons plus qu'à aller voir sa femme, pour qu'elle vienne le ramasser une fois de plus.

Les Xikashang (propriétaires d'une grande maison) habitent sous la falaise une assez belle maison de quatre pièces. Mipa, le père, est mon oncle du côté paternel (c'est en fait un cousin de la mère de mon père). Il est allé chercher une femme dans un autre village, ce qui est plutôt exceptionnel : en général, c'est la femme qui reste sur son territoire. Mipa est très religieux. Il aime nous raconter une histoire extraordinaire qui lui arriva en Birmanie en 1962, dans la portion du territoire indien occupée par les Chinois, à l'est de l'Himalaya.

Peu après leur installation au Tibet, les militaires (l'armée révolutionnaire, unité 81, première armée de Mao Zedong) débarquèrent dans le sud pour envahir l'Inde. Les jeunes Tibétains furent réquisitionnés pour porter les munitions. Mon oncle, alors âgé de seize ans, dut obéir. Un jour, en marchant dans la forêt entre la Birmanie et l'Inde, il se trouva soudain pris dans des bombardements. Atteint à la cuisse, il vit les morts s'entasser autour de lui. Tout baignait dans une fumée bleue. Alors il s'évanouit, seul parmi les cadavres.

En ouvrant un œil, il aperçut une dame au visage tout blanc penchée sur lui. Terrorisé, il s'évanouit de nouveau.

À son réveil, il était couché dans une cabane au milieu de la forêt, la jambe bandée. Il souffrait. La dame blanche entra dans la cabane. Du coin de l'œil, il la regarda s'asseoir sur un petit banc et reprendre le tissage d'un panier. Elle lui expliqua qu'il avait été blessé et qu'elle l'avait amené ici pour le soigner.

— Mais je ne peux pas rester là, je suis militaire, dit-il. Je dois aller porter les munitions.

La dame blanche lui répondit alors qu'il n'y avait plus de munitions à porter, et qu'elle l'avait sauvé parce qu'elle se trouvait un peu dans la même situation que lui.

— Pendant la Seconde Guerre mondiale, la bataille entre Anglais et Japonais faisait rage. L'armée japonaise rasa le village où habitaient mes parents. Mon père était un anthropologue anglais et nous vivions dans la forêt. Je n'étais pas au village quand le massacre a eu lieu, car j'étais allée rendre visite à un couple de vieux amis tibétains. Mon père et ma mère ont été tués tous les deux. Je suis restée chez mes vieux amis, mais je n'étais pas heureuse parce que les enfants de leur village se moquaient de moi et me rejetaient à cause de la couleur de ma peau, de mes cheveux et surtout de mes yeux. Les yeux bleus leur faisaient peur et ils se vengeaient en me faisant peur à leur tour. Alors, je me suis réfugiée dans la forêt et je vis seule dans cette cabane depuis plusieurs années.

Mon oncle fut profondément touché par ce récit. Sa jambe se rétablit et il commença à travailler pour aider la dame blanche. Peu à peu, il tomba amoureux d'elle, mais elle avait peur qu'il ne fût malheureux loin des siens. Elle prit donc la décision de le renvoyer chez lui.

— Je te raccompagnerai jusqu'à la route, et je t'indiquerai le chemin que tu dois prendre.

Après un long périple à travers les forêts, mon oncle finit par remonter sur le haut plateau et par retrouver son chemin jusqu'au village de Pomdo. Tout le monde était stupéfait. On le croyait mort et il lui a fallu longtemps pour se débarrasser de son image de fantôme.

Mipa s'applique à prouver qu'il n'est pas mort. Il a douze enfants, dont trois paires de jumeaux. Mince, grand et élégant, Mipa, très bagarreur, se dispute souvent avec sa femme. Pourtant, c'est un sage, d'esprit très religieux. Il faut croire que, parfois, il en vient à oublier la juste rétribution des fautes et le jugement de Yama[1]. Mais il lui suffit de se livrer à quelques minutes de méditation, et tout rentre dans l'ordre. Il est d'ailleurs très apprécié des villageois de Pomdo, qui viennent lui demander conseil, bien qu'il ne sache ni lire ni écrire. Sa principale activité consiste à coudre les vêtements de la famille, en tissu ou en peau de chèvre. C'est aussi lui qui se charge de ramasser la fiente des pigeons qui nichent très nombreux dans la falaise. Le comité lui achète sa récolte de guano, qui est un excellent engrais. Aujourd'hui, le deuxième de ses fils est moine au monastère de Drepung, près de Lhassa.

Venons-en à une famille haut placée dans la hiérarchie de notre village. Namgyal Dolma (la déesse guerrière du ciel), communiste, a trois enfants de père inconnu. L'un des fils travaille à la radio locale et ses deux filles sont l'une médecin et l'autre fonctionnaire à l'hôpital. Ils occupent une grande maison dont les anciens propriétaires ont été envoyés vivre dans une étable à l'écart du village. Tous les matins, Namgyal

---

1. Dieu chargé d'évaluer le *karma* du mort, soit le poids de ses fautes et celui des mérites accumulés au cours de sa dernière existence et des précédentes, et dont le jugement influe sur la réincarnation.

Dolma participe à des réunions du comité et organise le travail des villageois. La maison est décorée de drapeaux rouges et de portraits de Mao Zedong.

Je me bagarre souvent avec Momo, le petit-fils de Namgyal Dolma, qui porte en permanence son foulard rouge noué autour du cou, que nous autres les rebelles lui arrachons dès la sortie de l'école. Un jour, j'essaie même de mettre le feu à la maison de cette déesse que je considère plutôt comme une sorcière. Mais je suis vite dénoncé et mon père doit venir s'expliquer devant l'assemblée. Momo, en représailles, fourre des pétards dans les trous de ma *chouba*.

Dans une autre pièce de cette maison, habite une grande femme mince qui a une tête d'homme. On l'appelle Ser Gowa (tête de léopard). Cette vantarde répète à qui veut l'entendre que sa famille a pour origine une nichée de vautours. Sa haute taille, son long cou, sa crinière échevelée et son mauvais caractère semblent bien attester de cette hérédité. On dit qu'elle a le pouvoir de soigner les maladies envoyées par les esprits malfaisants, qui se manifestent sous forme de boutons sur tout le corps. Il me semble maintenant que ce genre d'affections devaient plutôt provenir d'une allergie consécutive à l'absorption de plantes vénéneuses ou d'aliments avariés. Toujours est-il qu'un jour où mon frère Nyiko se retrouve couvert de boutons de la tête aux pieds, Ama-la va chercher Ser Gowa, qui arrive aussitôt chez nous, armée d'une patte de cheval. Mon frère doit se déshabiller et la guérisseuse commence à hennir comme un vrai cheval en promenant la patte sur le dos de Nyiko. Après cela, elle nous offre le spectacle d'une petite danse chamanique, au cours de laquelle elle agite la patte de cheval au-dessus de la tête de mon frère. Puis elle le badigeonne d'huile de sésame. Les traitements de Ser

Gowa s'avèrent en général très efficaces. Du moins, c'est ce qu'on dit dans le village. De temps en temps, elle va dénicher des œufs de vautour dans la falaise pour en préparer une omelette. Sans doute pense-t-elle ainsi se ressourcer et retrouver l'énergie vitale de la famille.

Un vieil homme presque aveugle, Gorgor (tête ronde), qui garde les yacks dans la montagne et chasse les chevrotains porte-musc, habite lui aussi cette maison. On chasse les porte-musc pour fabriquer du parfum à partir d'une substance visqueuse contenue dans une poche qu'ils portent sous le ventre. Le chevrotain porte-musc est un animal très agile, mi-lièvre mi-chèvre, et on ne l'attrape pas facilement. D'ailleurs, la vente du musc est interdite car l'espèce est protégée. Les fonctionnaires se débrouillent quand même pour écouler la marchandise que leur livre Gorgor. En échange, je crois qu'il a le droit de manger la viande de sa victime, et de rembourrer son matelas avec ses poils.

Les chevrotains porte-musc pèsent une douzaine de kilos. Herbivores, ils vivent seuls ou en petits groupes, et grimpent le long des pentes pour brouter les feuilles et les lichens.

La famille Drong Kelrawa (le jardin du centre) a construit sa maison à l'emplacement d'un jardin qui occupait autrefois le centre du village. Tseten Uko et sa femme Phelma Yudol (déesse de turquoise) élèvent ensemble quatre enfants, dont aucun n'a été conçu par Tseten Uko. En 1959, il faisait partie d'un groupe de rebelles et, à l'occasion d'une embuscade, fut capturé par les Chinois. Il fut emprisonné durant de nombreuses années. C'est pendant ce temps passé derrière les barreaux qu'il fit bien involontairement l'acquisition d'une famille nombreuse. Comme tout le monde au village, il cultive la terre, mais son autre spécialité est l'arrachage des dents. Il utilise pour son travail une grosse tenaille terrifiante, et bourre ensuite la cavité et la bouche du patient de farine d'orge pour absorber le sang. Mes frères et moi raffolons de ces séances de torture. Un matin, un de mes copains, Mikmarpa, a mal à une dent, une grosse molaire, tout au fond de la bouche. Nyiko et moi l'accompagnons chez Tseten Uko qui lui attache les mains derrière le dos et lui introduit dans la bouche une pièce de métal recourbée pour lui maintenir la mâchoire ouverte. Il demande ensuite à Nyiko de lui tenir la tête en arrière. Il introduit alors l'horrible pince et prend appui avec son pied sur le fauteuil pour arracher la dent. Il bourre ensuite la cavité avec un mélange de beurre fondu et de *tsampa*. La première fois que j'irai chez le dentiste en France, ce sera avec une grande appréhension, et je n'en croirai pas mes yeux devant tout le matériel sophistiqué de cet habile praticien qui ne me fera même pas mal et arrivera à se passer de *tsampa*!

La famille Larcheng (grande main) habite trois maisons réparties autour d'une cour. Dans l'une d'elles vivent deux frères mariés à la même femme qui leur a donné trois enfants. Ses deux maris, très travailleurs, se nomment Anyelpa, et, l'aîné, Lhagyelpa. La polyandrie n'est pas rare au Tibet où la société traditionnelle est fortement matriarcale. Très souvent, avant l'invasion chinoise, la mariée qui épousait l'aîné de plusieurs frères en prenait deux ou trois à la fois. Seul l'aîné était considéré comme le père des enfants, et les frères du mari officiel n'avaient droit qu'au titre d'oncle. Le père des deux frères, Dhonyo, vit dans la maison voisine et ne s'entend pas avec ses fils. On raconte dans le village que lui aussi a couché avec cette femme. Dhonyo, un jour, a été arrêté par les gendarmes parce qu'il avait caché plusieurs statues anciennes du monastère de Taglung. On disait que ses fils eux-mêmes l'avaient dénoncé. Il avait fait, jadis, le pèlerinage de Bodh-Gaya, en Inde, et racontait volontiers l'histoire de Bouddha.

J'étais alors loin d'imaginer qu'un jour j'irai moi-même à BodhGaya, non seulement comme pèlerin, mais comme élève du dalaï-lama, pour y recevoir une grande initiation. J'étais alors moine au sud de l'Inde et dès que j'ai eu vent de cette possibilité, je me suis mis en route avec d'autres moines pour en profiter. Mes souvenirs d'enfance se sont transformés en un appel irrépressible. Je suis très heureux aujourd'hui d'avoir écouté mon cœur et d'être allé sur le lieu sacré où le Bouddha a atteint l'Éveil.

Les connaissances de Dhonyo passent pour être très étendues, et on lui prête même les pouvoirs occultes d'un yogi. Mon père s'entend très bien avec lui, et lui demande de lui prédire l'avenir, activité à laquelle il se livre volontiers en utilisant un chapelet et en effectuant un calcul compliqué fondé sur le nombre de perles. La divination est un service courant au Tibet. Les lamas s'y prêtent assez volontiers en lançant leur chapelet pour observer la forme qu'il prend sur le sol. Quant à l'interprétation, tout repose sur la concentration. Lors de ma dernière fuite vers l'Inde, un nomade khampa qui m'avait recueilli m'a demandé de prédire son avenir. Il attendait des commerçants et voulait savoir s'ils allaient enfin venir faire affaire avec lui. Mon inspiration m'a soufflé de lui répondre qu'il n'avait plus que deux semaines à attendre. Le bon Khampa fut très satisfait, mais j'étais déjà loin de mon généreux hôte au moment où ma prophétie devait (ou non) se réaliser.

La petite maison Dhonyo est remplie de superbes statues anciennes. Il les avait récupérées au moment de la Révolution culturelle. Mais à l'époque où l'on a commencé à reconstruire les monastères, il les a restituées. Il s'est mis en ménage avec sa voisine, Bondo (la sourde), mère de trois enfants. Quelque temps auparavant, nous avions torturé l'un des fils de cette femme, Ajoba, pour qu'il nous raconte encore et encore que Dhonyo passait par la cheminée pour venir voir sa mère, parce que la sœur de celle-ci ne l'aimait pas.

À côté de la famille Larcheng, vit la famille Larchung (petite main) qui possède un masque très ancien d'une divinité inquiétante, Pelden Lhamo (la déesse glorieuse), une fille de Brahma, protectrice attitrée du dalaï-lama et de l'ordre des Gelukpa. Ce masque terrifiant la représente avec une expression féroce et un troisième œil. Sur les *thangkas*, la déesse, toute noire, chevauche une mule de couleur claire. L'animal est équipé d'une selle en peau humaine, les rênes sont des vipères et la taille de Pelden Lhamo est entourée d'un collier de têtes de mort. On dit que le masque, de couleur très foncée, est lui aussi en peau humaine, mais sans doute s'agit-il d'une association d'idées avec les représentations aperçues dans les monastères… Quand on se déplace dans la maison, la déesse semble vous suivre des yeux. De plus, dans cette famille, tout le monde est plus ou moins sourd et très réservé. On raconte que ce masque a été volé dans un monastère pendant la Révolution culturelle, et a atterri je ne sais comment chez les Larchung. La femme, Yangchen, est mariée à un homme de l'est, cordonnier et couturier, qui boite et qui louche.

À la pleine lune, la famille Larchung récite des prières et reste enfermée chez elle. L'aîné des enfants est moine à Drepung. Sa sœur Ma Bel (crapaud rouge) a une face rouge brique, toute ronde. Cette famille d'anciens propriétaires est soumise aux humiliations du comité. Tous les mois, ils doivent faire le tour du village avec un bonnet pointu en papier sur lequel est écrit : « propriétaire ». Le parcours d'infamie inclut un passage à l'école où les élèves s'en donnent à cœur joie pour conspuer les Larchung, jusqu'à ce que ceux-ci se décident à demander humblement pardon.

Anciens nomades, les Rapa (la maison des chèvres) habitent sous le même toit que leurs bêtes. Une cousine chirurgienne à l'hôpital du district protège cette pauvre famille. Le fils aîné, que l'on appelle Pholu-Molu (homme-femme), est, selon les racontars, le second homosexuel du village. Il porte les cheveux longs et a des gestes gracieux et efféminés, même dans la montagne où il garde les chèvres de la commune. Sans cesse, il chante, d'une très belle voix. Il fuit les garçons du village et ne parle qu'aux femmes, qui n'ont rien à craindre de lui. Son frère, communiste fervent, ne quitte pas son chapeau à étoile rouge, même à l'école où il enseigne aux petits de six et sept ans. Je réalise maintenant que cet instituteur marxiste avait l'habitude de faire venir ses élèves chez lui et de les garder jusqu'à une heure tardive. Je ne sais de quel œil seraient considérées ces pratiques en Occident aujourd'hui...

Le vieux grand-père de la famille Drothobur (à l'autre bout du village) est lui aussi un homme de l'est, de la province du Kham. Commerçant ambulant avant 1959, il décida un beau jour de se fixer à Pomdo. L'un de ses fils est aujourd'hui comptable du comité, mais le personnage le plus curieux de la famille est un autre de ses enfants, que nous appelons sans pitié Gongtengpa (grosses couilles). Il est en effet pourvu d'une paire de testicules gigantesques, grosses comme celles d'un jeune bélier. Nous le poursuivons en le menaçant de les lui compresser s'il ne nous donne pas de bonbons. Le malheureux marche les jambes écartées et tout le monde se moque de lui, et du reste de toute la famille car, outre leurs désagréments physiques, les Drothobur sont affligés d'un puissant accent du Kham.

Le nom de la famille Wongpa (chouette) évoque le cri de cet animal nocturne, omniprésent au Tibet. La maison des Wongpa est très sombre, mais comme la lumière leur fait mal aux yeux, cela n'a rien d'étonnant. Nous avons surnommé « saucisson » la grosse maman Wongpa. Quant aux frères, l'un d'entre eux, très dur, passe son temps à se battre avec les enfants du village. L'autre, Thangkarpo, un de mes camarades d'école, ne supporte pas la vue d'un objet blanc. Il s'évanouit dès qu'il aperçoit un linge blanc et ne sort jamais quand il a neigé. Une paire de lunettes de soleil aurait été le plus beau des cadeaux pour lui !

J'arrête là mon tour d'horizon. Voilà dressé le portrait des principaux habitants du village. Comme tous les gamins du monde, nous nous réjouissons de toutes les bizarreries observées chez les autres, sans en percevoir aucune en nous-mêmes. Ainsi vont les hommes, qu'ils soient bouddhistes, chrétiens ou musulmans. Ils ne sont pas toujours habités par l'idée du bien, pourtant si indispensable à l'édification d'un *karma* susceptible d'assurer une bonne réincarnation.

Ma famille souhaite de tout cœur que je puisse quitter le village. Tout le monde me croit capable de faire des études. Mon frère m'exhorte à échapper au sort de paysan montagnard qui lui est réservé. Et pourtant, Pomdo est un site exceptionnel, véritablement béni des dieux. Il se situe au confluent de trois rivières et au pied de trois montagnes. Les cartes hésitent sur l'orthographe du nom du village : Pomdo, Pombho, Pomdho, mais elles indiquent quand même mon petit village natal, car il occupe un emplacement stratégique au croisement de deux routes importantes.

Quant à nos trois rivières, elles finissent par donner leurs eaux au Gange, l'un des fleuves les plus sacrés du monde, qui se jette dans le golfe du Bengale. Elles se sont d'abord mélangées au Kyitchou, « la rivière du bonheur », pour traverser Lhassa. La rivière des dieux de Pomdo est connue pour son pont de fer, construit par les pouvoirs magiques de Thangtong Gyèlpo, un architecte du XVe siècle qui sut fondre des chaînes de soutien dont les maillons tenaient fermés sans soudure. Mais la violence des eaux détruisit son ouvrage. Le saint homme se permit alors de rappeler à la déesse Drolma les ordres qu'elle lui avait donnés au cours de sa méditation : « Construis rapidement des ponts de fer pour faire traverser les êtres facilement. » Le lendemain, il était exaucé avec l'arrivée par la rivière de deux troncs de santal qui lui permirent de construire un tablier solide. Pour être franc, ce tablier était posé si près de l'eau furieuse qu'on ne s'y engageait qu'avec crainte. Il me fut longtemps interdit de le traverser.

La rivière Patchkou qui longe mon école, instrument de torture favori de notre instituteur, vient de la vallée où vivait le sage ermite qui nous apporta le bouddhisme, où fut construit le monastère du Nid de Vautours de l'île aux Lions. La rivière de Reting provient du monastère célèbre qui porte le même nom. Elle arrive chez nous du col de Pemba. C'est un vrai torrent aux vagues puissantes, à l'eau sombre couleur de turquoise. Les Chinois ont construit le premier pont sur ces eaux dangereuses en 1968. Cette construction a mis fin à beaucoup de pertes en hommes et en animaux. Ce nouveau pont nous a rapprochés de cet espace inspiré et protecteur auquel mon village est uni par tant de liens.

Nos montagnes sont la consolation de mon enfance. C'est là que je vais courir dans les hautes herbes, m'allonger sur les rochers et chercher les bonnes plantes. Mo-la m'emmène avec elle lors de ses randonnées botaniques, et elle m'apprend les vertus des simples. La montagne Yagya porte le nom d'une de ces bonnes herbes qui guérit les maladies infectieuses. Mon cher Tibet est une mine inépuisable de médicaments naturels capables de guérir presque tous les maux des hommes et des bêtes.

J'aime beaucoup la « montagne du Vent », où se tient le monastère du Nid des Vautours de l'île aux Lions. Deux grands rochers se dressent là, fiers de leur titre de « seigneurs ». La légende affirme en effet que le maître indien qui nous enseigna le bouddhisme au VIIIe siècle, Padmasambhava, cacha en ce lieu des talismans, écrits ou objets de culte dissimulés que l'on appelle *terma*. Le maître les a laissés là pour qu'ils soient découverts par des voyants, les *tertön*. Bien sûr, je rêve, mais en vain, d'être un *tertön*, un découvreur de trésor.

Plus sûrement, je gagne un bon bol de soupe auprès des nomades en leur portant de l'eau des sources que je connais. De nombreux animaux vivent sur les pentes des montagnes. Les Tibétains mangent un peu de viande, par concession au climat rigoureux, mais ils ne chassent pas, ou très peu. On dit que les chasseurs se réincarnent en gibier craintif, vivant à leur tour dans la peur. Nous ne mangeons pas de poisson, malgré l'abondance des lacs et des rivières. En effet, c'est dans l'eau que sont immergés les corps des enfants morts et de ceux qui ne peuvent s'offrir en pâture aux vautours. Les êtres aquatiques nous font donc horreur, ce serait comme manger les vautours...

Dans le lointain, se dresse un sommet bien régulier, Néri, ou la Grande Pyramide, ou la montagne d'Orge. C'est lui qui accroche les tout premiers rayons du soleil et nous les envoie. Tous les villageois de Pomdo sont profondément attachés à cette cime de lumière.

Malgré toutes ces merveilles, personne ne pense que je resterai au village. Toute ma famille me pousse à étudier avec acharnement pour réussir et quitter ma belle vallée. Ils espèrent, bien sûr, que je pourrais à mon tour les aider à sortir un peu de leur vie de misère. Leur volonté s'accomplira, mais d'une manière aussi inattendue pour eux que pour moi. C'est en Inde du Sud que je m'appliquerai le plus assidûment aux études, passionné par les débats intellectuels qui sont la spécialité de l'école Gelukpa. Les moines capables sont poussés à la limite de leurs forces. Il faut vingt années de concentration intense pour atteindre le niveau qui permet de pratiquer la médita-tion, et encore plus pour enseigner. Je serai profondé-ment choqué par la légèreté avec laquelle les Occidentaux se jettent dans la méditation sans prendre la peine d'acquérir les bases indispensables.

Plus tard, les langues française et anglaise, avec leur alphabet étrange, viendront compléter mes études. Mon regret sera d'être condamné à un exil lointain, sans pouvoir aider mes parents. Les Alpes réveilleront chez moi les grands bonheurs de mon enfance. La Chine m'interdit de revenir dans mon pays, mais j'espère un jour voir tomber ce mur qui s'obstine à rester debout, quand tant d'autres frontières se sont abaissées.

Là-haut, dans la montagne de mon pays, un grand arbre résiste aux avalanches. On le vénère comme une incarnation de l'un des douze patrons du Tibet. Les Chinois, ne supportant pas cette vénération, l'ont abattu. Des voyageurs m'ont raconté qu'il avait émis des rejets, qu'il était encore assez puissant pour jaillir des entrailles de la terre. Je regarde en imagination cet arbre irremplaçable et je revis avec lui.

8

À L'ÉCOLE DU PEUPLE

Si un problème ne peut pas être résolu,
être malheureux n'y changera rien.

Proverbe tibétain

Le chemin n'est pas vraiment long – environ un kilomètre – et si l'école était un plaisir, ou même simplement un lieu un peu intéressant, ce trajet ne serait rien pour des gamins habitués à crapahuter dans les sentiers de montagne. Mais voilà, un kilomètre pour se rendre au bagne, ça paraît interminable ! Nous ne sommes pas vraiment pressés d'arriver. Tous les jours, nous devons apporter à l'école notre matériel : une grande planche de bois sur laquelle nous faisons nos exercices d'écriture, et notre encre maison.

Si nous admirons les héros du communisme, nous n'avons aucun respect pour les fonctionnaires locaux chargés de le mettre en œuvre. Un jour, sachant que le bureau de la municipalité serait vide, Makhopa et moi y entrons par la fenêtre entrouverte. Nous n'avons aucune mauvaise intention, nous voulons seulement dérober un peu de matériel scolaire, et aussi chiper quelques bonbons réservés aux bons élèves, auxquels nous avons, bien sûr, très rarement droit. Une fois à l'intérieur, nous découvrons sur une table des piles de dossiers. Nous nous disons que nous ferions certainement œuvre utile en débarrassant le village de ces dossiers qui ne peuvent contenir que des informations nuisibles à la population. Nous les entassons donc dans le poêle et y mettons le feu. Malheureusement (ou non!), les flammes commencent à grimper jusqu'au plafond et nous devons sortir en courant. Un peu plus loin, hors de danger, nous commençons à crier :

— Au feu, au feu! Il y a le feu à la mairie!

Les villageois accourent de tous côtés et organisent une chaîne pour remonter l'eau de la rivière. Au final, c'est un fonctionnaire de la mairie, un gros fumeur, qui est accusé à notre place. Nous n'avons aucun remords car nous savons que, de toute façon, il ne sera pas sévèrement puni. Il est condamné à trois mois de travaux d'utilité publique. La politique chinoise prétend être contre l'esclavage, mais, à la place des châtiments que les nobles infligeaient aux serfs dans le Tibet d'autrefois, les Chinois ont introduit les « travaux forcés », bien commodes pour eux puisque que les punis, après avoir reconnu leurs fautes, travaillent gratis pour le gouvernement. Pour un fonctionnaire discipliné, la peine est légère, mais pour certains anciens propriétaires, l'affaire peut tourner au cauchemar. Ce fut par exemple le cas pour le vieux Pelingsten, réduit en esclavage par les fonctionnaires locaux, obligé de travailler la nuit comme le jour, à la disposition des tyrans.

À midi, il faut refaire la route pour aller manger chez nous. Mes bons copains et moi – les pires garnements de l'école – nous cachons derrière les arbres pour guetter nos victimes. Avec Tamdi Nimapa (cheveux de soleil), petit et rapide, nous poursuivions Zuca (agneau), un gamin pâlichon dont les parents possèdent quelques poulets. Zuca apporte parfois des œufs à l'école et nous nous jetons sur lui pour lui faire les poches, les lui voler et les gober sur place. D'une manière générale, nous sommes très redoutés des autres élèves. Les filles étant nos victimes de prédilection, elles ont le droit d'arriver en classe une demi-heure avant les garçons et d'en repartir une demi-heure plus tôt, pour éviter les sévices que nous leur infligeons. Avant cette saine décision, nous leur courions après pour leur arracher leur chewing-gum ou leur faire laver nos planches de travail. Un jour, nous allongeons par terre une de nos victimes et lui coupons ses nattes. Les nobles d'autrefois étaient très inventifs en matière de tortures, mais nous ne le sommes guère moins !

Le maître, qui s'appelle Choko, nourrit à mon égard une aversion qui n'a d'égale que la mienne. Il louche et nous l'avons baptisé Shangor Lothe (tête vers l'est, regard vers le sud). Il me déteste à tel point que même lorsque j'essaie de bien faire, il ne s'en aperçoit pas. Il m'a d'ailleurs rebaptisé « Nolokpa », ce qui veut dire contradicteur, jamais d'accord. Il a deux autres souffre-douleur, deux frères nommés « Ared » (semelle pourrie, quelqu'un qu'on ne sait pas par quel bout prendre, un peu comme « bâton merdeux » en français) et Thang-karpo (terre blanche). Le maître demandait souvent à ses souffre-douleur de lui laver les pieds dans une bassine quand il ne les envoyait pas faire le planton dans le froid derrière la porte.

L'école compte une cinquantaine d'élèves répartis en cinq niveaux. Mais la hiérarchie sociale fait que ces niveaux correspondent à la nouvelle structure du pays. Les cinquième sont des enfants de cadres du parti, les quatrième aussi, plus quelques filles de dix-huit, dix-neuf ans. En troisième, se retrouvent des enfants de paysans non contestataires, qui savent lire et écrire. Mon frère Choto en fait partie. Il est très doué et mon père l'aide à la maison.

Les cinquième sont chargés d'aider les quatrième dans leur travail, les quatrième les troisième, et ainsi de suite. Les deuxième, une section qui regroupe les élèves incapables de réciter les paroles de Mao et qui sont réfractaires à toute forme d'éducation, sont logés près de la porte, à l'endroit le plus froid de la classe. Seul le maître est assis sur une chaise. Nous devons nous contenter de peaux de têtes de yacks, pleines de poux, et passons une grande partie de la journée à nous gratter furieusement les fesses.

Le maître, célibataire, habite une pièce séparée de la classe, et doit passer par la cour pour se rendre de sa chambre à la salle de classe. Il possède un beau cheval bleu azur, qu'il considère comme un joyau. Une de nos tâches consiste à étriller le cheval chaque jour, et une autre à aller ramasser pour lui de la bonne herbe fraîche dans la montagne. Mais ceci est plutôt un honneur qu'une punition, domaine dans lequel notre maître se montre fort inventif; l'une des plus cuisantes humiliations qu'il nous inflige consiste à nous faire épiler un par un les poils de sa barbe.

Notre matériel scolaire est très artisanal et sa préparation nous demande autant de temps que d'effort intellectuel. Nous disposons d'un petit pochon de craie en poudre dans lequel est enfermée une ficelle. Il suffit de tirer la ficelle vers le haut, de la maintenir juste au-dessus de la planche[1]. La ficelle se détend et

---

1. C'est ainsi que débute la préparation des mandalas de sable, tableaux réalisés par les moines avec du sable coloré, destinés à être balayés au bout de quelques jours afin de rappeler l'impermanence de toute chose, un des éléments fondamentaux du bouddhisme.

laisse une trace de craie bien droite. L'encre aussi, nous la fabriquons nous-mêmes en grattant la suie qui tapisse le toit du foyer et en la mélangeant avec de l'eau. Il ne nous reste plus qu'à tailler des « plumes » dans des roseaux bien secs, et nous voilà parés pour le travail. Je serai très impressionné par le matériel des petits Occidentaux : des crayons qui écrivent tout seuls, des encres de toutes les couleurs, du papier, des gommes, des effaceurs ! Vraiment, les écoliers français n'ont pas beaucoup de mérite.

L'un de mes copains, Nonorpa, se fait accompagner à l'école par sa sœur, une jolie fille appelée Serwa (or). Le maître est très amoureux d'elle, et pendant que nous psalmodions les textes de Mao, il l'emmène dans sa pièce pour lui offrir du thé. De ce fait, Nonorpa bénéficie d'un traitement de faveur, jusqu'au jour où le maître lui remet pour son père une lettre de demande en mariage. Le père de Nonorpa, qui est un homme de bon sens, déteste à juste titre notre bour- reau, et lui répond que Serwa a déjà un promis à Lhassa. Comme tout se sait au village, la pauvre Serwa est en effet très vite mariée et part pour la capitale. Tout vaut mieux que d'épouser Shangor Lothe.

Je reverrai Nonorpa à Zurich pendant l'hiver 2004. Quelques riches familles tibétaines installées en Suisse font parfois venir du Tibet un ou plusieurs moines, pour participer à des cérémonies religieuses. Quand on m'apprend que Nonorpa est si près de moi, je sou- haite aussitôt aller le voir. Malheureusement, c'est à peine si nous nous reconnaissons. Moine dans le sud de l'Inde, c'est un homme très sage et réservé, comme jadis d'ailleurs. Enfants, notre amitié était plutôt fondée sur la complémentarité de nos caractères. Nous nous promenons dans la campagne aux envi- rons de Zurich, et nous évoquons naturellement notre passé commun. Mais tout cela semble irréel, émouvant mais étrange. J'ai l'impression de rencontrer un autre Nonorpa, comme si notre passé appartenait à la légende. D'ailleurs, Nonorpa éprouve la même impression que moi. Il nous faudrait plusieurs mois pour reconstruire le passé enfui.

Le maître aime organiser des concours de lutte, toujours dans l'idée de faire de nous des hommes forts et de vaillants défenseurs de la patrie. Cette patrie chinoise qu'aucun de nous ne reconnaît vraiment comme sienne.

— Un bon communiste doit savoir se battre ! Peut-être aurez-vous un jour à défendre la patrie !

Le gagnant ne remporte rien, mais le perdant est sûr d'être envoyé récurer la rigole ou de rester le soir à balayer la classe.

Un jour, notre maître doit retourner dans son village, pour je ne sais plus quelle raison. Dhonyo, le père des deux frères qui vivent avec la même femme, le remplace. Il est l'un des rares habitants de Pomdo à savoir lire et écrire. Mais comme il n'éprouve aucune envie de faire classe, il préfère nous raconter des histoires d'Aku Tompa (oncle bouddha), une sorte de Rabelais tibétain, de saint fou qui voulait réformer les mœurs des monastères en faisant connaître au peuple toutes les ignominies qui s'y tramaient.

Ces petites histoires sont très connues, mais elles nous font toujours rire. Pour bien les raconter, il faut donner à chacun des personnages une intonation et des gestes particuliers, que les auditeurs reconnaissent aussitôt. C'est généralement « le gardien de la morale » qui fait les frais de ces histoires. Il est chargé de l'ordre dans le monastère, comme de l'organisation des cérémonies. Le supérieur du monastère n'a rien à voir avec un abbé occidental – il ne prononce pas de vœux. Il s'agit plutôt d'une sorte de doyen de faculté, entouré d'autres professeurs. Son prestige est immense quand il est une réincarnation reconnue, comme il convient dans un monastère un peu important.

Voici Aku Tompa qui propose donc un jour au gardien de la morale une nouvelle recrue pour une cérémonie. Le moine lui demande :

— Ton ami sait-il chanter ?

Et Aku Tompa de répondre très sérieusement :

— Ta question est bonne, mon ami a une très belle voix, je te l'amène demain !

Et de conduire au petit matin un âne couvert d'une robe de moine :

— Écoute sa voix !

D'un coup de pied, il le fait braire. Il s'agit bien sûr de rire des moines qui se contentent des apparences, au lieu de s'appliquer à atteindre le fond du cœur.

Ces quelques jours sont mon meilleur souvenir d'école. Dhonyo allume le feu, et nous sommes tous serrés autour du poêle à boire ses paroles. Je me souviens en particulier d'une histoire aussi loufoque que graveleuse qui nous fait rouler par terre de rire. Aku Tompa, aussi luxurieux que curieux, désire à tout prix s'introduire dans un monastère de nonnes riches et dictatoriales. Après s'être soigneusement rasé et avoir revêtu une robe, il se fait admettre dans le monastère et y passe une année très agréable. Mais voilà qu'au bout d'un certain temps, les ventres des nonnes commencent à s'arrondir, et la mère supérieure décide d'organiser un « test de féminité » auprès de ses filles. Pour cela, elle les fait mettre nues et leur demande de sauter en l'air, les jambes largement écartées. Aku Tompa est bien embarrassé, mais jamais à court de ressources. Il s'attache la queue entre les jambes, comptant sur ses poils pour cacher le tout et coince le bout dans son derrière. Les nonnes sautent les unes après les autres au-dessus d'un petit banc. Aku Tompa prend son tour. Rien n'apparaît. Il est tellement fier de lui qu'il propose à la supérieure de faire un nouveau saut. Pourquoi pas! Et hop, il fait un pet, la ficelle craque, et la vue de ses charmantes compagnes dénudées suscite chez l'ardent jeune homme une visibilité... qui le fait aussitôt précipiter au fond d'un cachot noir.

Les nonnes, ne sachant que faire de leur prisonnier, lui demandent ce qu'il redoute le plus comme châtiment :

— Qu'on me lie les mains dans le dos avec des lanières de peau de yack enduites de beurre. Je ne supporte pas cela !

Les nonnes, étonnées, s'empressent de lui infliger ce terrible supplice. Mais naturellement, les lanières rendues souples par le beurre se délient facilement et Aku Tompa s'enfuit tout joyeux du monastère. Aussitôt dehors, il s'empresse de raconter à qui veut l'entendre les pratiques curieuses des nonnes, ces « tests de sexualité » qu'elles organisent pour assouvir leurs désirs. Pour cela, elles utilisent un œuf percé aux deux bouts qu'elles introduisent dans le sexe de deux religieuses en position adéquate pour ce sport. La nonne animée du plus fort désir aspire le contenu de l'œuf, et son désir se trouve apaisé pour des mois. L'autre n'a plus qu'à recommencer avec une autre de ses consœurs. Ces scandales étaient naturellement tenus secrets, mais Aku Tompa voulait en avoir le cœur net.

Dhonyo nous explique ensuite qu'Aku Tompa était un personnage populaire, héros de nombreux contes satiriques, mais que la critique à l'égard du comportement des moines, hommes ou femmes, était presque

Chotil en 1999 devant la « Grande Pyramide », qui a veil
que les villageois comparent à un tas d'orge. Chaque matin,
le soleil levant éclaire son sommet d'ardoise pendant
est à son pied que mon père cueille sa pharmacopée. *(ph. d.r.*

Ma mère Ama-la. *(ph. Isabelle Gros)*

Mon frère Nyiko, mon aîné de deux ans et mon compagnon de jeux et de bagarres ! *(ph. Isabelle Gros)*

Mon père Chotil, vétérinaire, aujourd'hui âgé de 70 ans. *(ph. Isabelle Gros)*

Mes trois frères Tenzin Sopa, Nyiko et Choto, toujours sérieux.
(ph. Isabelle Gros)

Mon frère aîné Choto et ma sœur Yashi Dolma, les deux religieux de la famille, devant le palais du Potola, résidence du dalaï-lama à Lhassa. La grande place, où s'étendait autrefois le pittoresque quartier ancien, a été « nettoyée » par les Chinois. *(ph. d.r.)*

La maison des Zongpa, ma famille. Au sommet de la falaise, l'autel de Gungara sur-plombe celui de Yangmara, les deux génies protecteurs du village de Pomdo.
(ph. Isabelle Gros)

Un *stupa* sur la route de Pomdo à Reting. *(ph. d.r.)*

aussi ancienne que le bouddhisme. Dès le XIe siècle, le lama Changchubö déplorait cette situation :

> *Vous êtes plus avides de viande que des faucons ou des loups, plus libidineux que des ânes ou des taureaux. Vous êtes moins propres que des chiens ou des porcs.* [...] *Vous renaîtrez dans l'enfer du marais de cadavres putréfiés.*

Il n'y allait pas de main morte, le lama !

Tous ces contes à la fois paillards et moraux, nous explique Dhonyo, se rattachent à la tradition des saints bouffons et grotesques, très populaires au Tibet, qui, il n'y a encore pas si longtemps, allaient de village en village colporter des fables dénigrant les errements des nobles et des religieux. En voici encore une que Dhonyo raconte :

Les aubergistes tibétains ont une solide réputation de voleurs. Aku Tompa apprend qu'un aubergiste avait pour projet de voler l'ambre d'un marchand pour le remplacer par une imitation sans valeur. Il se rend donc à l'auberge pour tenter de remettre son hôte dans le droit chemin :

— Donne-moi une chope de *chang*, lui dit-il, et je te raconterai une bonne histoire !

Aussitôt servi, le voici qui entame son récit :

— Un escroc avait deux fils. Un jour, en compagnie de l'un de ses amis les plus pauvres, il découvrit un pot de terre d'où filtrait une étrange lumière. Le pot était rempli de pièces d'or ! L'escroc complimenta son ami le mendiant : « C'est grâce à tes mérites que nous avons trouvé ce trésor. Nous allons le cacher et faire la fête. » Le pauvre mendiant voulait donner le trésor miraculeux aux bouddhas, mais la perspective d'un festin endormit son zèle. L'escroc offrit donc une fête où la bière coula à flots. Ses deux fils dansèrent pour réjouir la compagnie et le mendiant lui en fit de grands compliments. Le lendemain, le mendiant et l'escroc s'en retournèrent à leur cachette, mais pendant que le mendiant cuvait sa bière, l'escroc avait remplacé les pièces d'or par de la sciure. « Tu vois, lui dit-il, tu n'avais que trop raison, cet or n'était qu'une illusion ! » Le mendiant n'était pas dupe, mais il n'en montra rien. « Nous avons été heureux avec de l'or qui n'était qu'une illusion, réjouissons-nous encore. Permets à tes deux fils d'aller danser pour réjouir ma vieille épouse dans la vallée. Je vais descendre avec eux préparer une fête. Je tiens à te rendre ton invitation. » Et quand l'escroc eut rejoint son ami le mendiant, c'est avec des larmes qu'il fut reçu : « Tes deux fils ont été changés en singes ! Tout n'est qu'illusion. » Et le mendiant montra aussitôt deux singes dressés qui sautèrent sur les genoux de l'escroc. Celui-ci comprit la leçon et avoua son vol : « Sois compatissant, pardonne-moi et rends-moi mes fils. » Le mendiant ne lui rendit ses fils qu'après avoir retrouvé sa part du trésor. À leur mort, l'escroc fut condamné à l'enfer dans une maison chauffée à blanc, et le mendiant se réincarna en singe, chacun en fonction du mauvais tour qu'il avait joué à l'autre.

9

ET SI MAO N'ÉTAIT PAS UN DIEU ?

*Lorsque l'oiseau de fer volera dans les
airs et que les chevaux auront des roues,
les Tibétains seront éparpillés comme des
fourmis à travers le monde, et le* dharma
parviendra dans les pays de l'ouest.

Padmasambhava, VIIIe siècle

La famille s'accroissant, il faut de plus en plus de
nourriture pour satisfaire nos bouches affamées.
Alors un jour, Mo-la décide de partir en tournée et
de nous emmener, Nyiko et moi, visiter une de ses
sœurs qui habite un village voisin. Peut-être pourra-
t-elle nous dépanner. De toute façon, pendant notre
absence, les parents auront trois bouches de moins à
nourrir.

Au plus froid de l'hiver, nous voilà partis sur la
route pour le village où habite Néné, à cinq ou six
kilomètres de chez nous. En chemin, Mo-la nous parle
de sa sœur qui, avant l'arrivée des Chinois, était reli-
gieuse dans un monastère proche de Lhassa et survit
aujourd'hui grâce à l'aide d'une autre sœur communiste, qui dispose donc de plus de moyens. Nous
remontons le cours de la rivière de la Déesse en
essayant de suivre le pas rapide de Mo-la.

Nous sommes accueillis chez Néné comme si nous étions de divins *bodhisattvas*. Cette Néné est délicate et charmante comme les fleurs qu'elle cultive dans son jardin, fleurs merveilleuses, douces et velues, qui ressemblent un peu à l'edelweiss et portent le nom de la déesse Tara. Il existe des *taras* roses, blanches et vertes. Délicates, elles demandent beaucoup de soins, de la même façon que les bonsaïs : arrosage à l'eau tiède, sarclage de la terre, engrais à la bouse de yack, ni trop ni trop peu. Ces fleurs constituent le bien le plus précieux de notre grand-tante. Nous entrons dans la maison et Nyiko et moi sommes bientôt fatigués d'écouter les deux vieilles dames ressasser leurs souvenirs. Alors nous sortons pour courir après les chats. Ces bestioles, qui vivent en totale liberté, sont très rapides, mais nous arrivons quand même à en coincer une que nous enfournons aussitôt dans un panier, en faisant ressortir sa queue par un trou. Puis nous accrochons le panier à un clou et restons là à ricaner bêtement en regardant la queue du chat qui se balance et se tord furieusement de tous côtés.

C'est une belle journée d'hiver et nous n'avons toujours pas envie de rentrer dans la maison obscure. Après avoir martyrisé le chat, nous ne savons plus quoi faire quand, hélas, nos regards tombent sur les jolies *taras* de Néné. Aussitôt, Nyiko et moi décidons de nous en décorer et d'en rapporter à Pomdo pour draguer les filles, qui raffolent de ces fleurs rares. Nous faisons un vrai massacre. Mo-la nous aperçoit par un coin de la fenêtre et sort, horrifiée. Nous sommes plantés là comme des nigauds, les *taras* coupées agonisant sur nos oreilles, nous donnant l'air de vaches sacrées. Elle se précipite sur les vandales pour les frapper, et comme d'habitude, Nyiko se sauve et je me cache la tête dans les bras :

— C'est pas moi, c'est Nyiko qui a eu l'idée, je suis le plus petit !

En général, ce genre d'argument marche avec Mo-la, mais jamais avec mes parents.

Nyiko s'est caché derrière un muret, mais on aperçoit sa crinière qui dépasse. Mo-la lui saute dessus avec l'agilité d'une biche, l'empoigne par les cheveux et lui envoie une gifle phénoménale. Puis elle lui ordonne de rentrer à Pomdo. Nous continuerons le voyage sans lui.

Pendant que Nyiko s'éloigne tout penaud, grand-mère et moi reprenons la route pour aller rendre visite à une cousine qui habite un peu plus haut dans la vallée. Tante Sengawa est une grande et forte femme, qui fume cigarette sur cigarette en s'envoyant régulièrement des petites tasses de vodka. C'est son fils qui la fournit. Sengawa habite un petit village d'une vingtaine de foyers dont elle est chef. Sa maison est aussi vieille et enfumée que les autres, mais décorée de photos de Mao Zedong, autour desquelles elle dispose des *khatas* comme s'il s'agissait d'images saintes. Sur l'autel familial, comme il y en a toujours dans toutes les maisons tibétaines, les pensées de Mao, les tracts de propagande et les drapeaux rouges ont remplacé l'encens, les statues et les bols d'eau parfumée.

Sengawa avale sa vodka dans un quart en aluminium chinois, sur lequel est écrit « Libération ». Ce quart de la Libération est présent dans toutes les maisons de fonctionnaires, où il a détrôné les bols traditionnels en terre cuite. Si on y réfléchit bien, c'est ce mélange culturel détonant qui permet aux Tibétains de survivre sous la botte chinoise. On renonce à la religion mais on conserve le principe de quelqu'un à adorer, on boit une boisson russe dans une tasse de métal froid mais commode, et on porte sur une *chouba* raide de crasse un insigne rutilant de Mao.

Naturellement, Sengawa, trop contente de m'avoir sous la main, en profite pour s'adonner à une petite séance d'éducation communiste, et constate une fois de plus mon manque de réceptivité. Mais je fais quand même semblant d'écouter. Pour quelques cigarettes et un bol de *tsampa*, je suis capable de supporter tous les endoctrinements du monde ! Nous nous connaissons bien Sengawa et moi, car elle passe souvent par Pomdo sur le chemin du district et elle dort quelquefois chez nous. J'ai toujours droit à un sermon pour l'occasion. Si seulement cette vieille toupie savait ce que je pense d'elle, avec ses cigarettes et sa vodka. Quel manque de dignité, à côté de ma douce grand-mère !

Son fils, Thopdyel, est le chef de la milice locale. Grâce à cela, la famille ne manque jamais ni de vodka, ni de cigarettes chinoises. Quand il ne dispose plus de vodka, ses relations avec l'hôpital lui permettent de se procurer de l'alcool à 90°. Je sais que Sengawa a des cigarettes sur elle et je me frotte tendrement contre son flanc pour lui faire les poches. Comme elle a les bras croisés et que ses poches sont inaccessibles, je fais le tour de la maison pour m'occuper, mais il n'y a rien d'intéressant à regarder ni à faucher : un mégaphone pour appeler les foules sur la place du village, des tas de Livres rouges et les photos de Mao, que je ne connais que trop. Thopdyel revient de sa tournée, sa kalachnikov sous le bras. Il s'assied lourdement en face de sa mère et se sert à boire sans dire un mot ni regarder personne, allumant lui aussi ses cigarettes bout à bout. Ce serait vraiment un type effrayant si on ne savait qu'il protège notre famille à la demande de sa mère. Cette nuit, nous restons dormir chez la tante, Mo-la et moi.

Le lendemain matin, nous partons pour le village d'Urulong, qui compte une trentaine de foyers. Nous allons voir Thupten Yichi, un cousin de ma grand-mère, qui est professeur d'école. Lui aussi passe de temps en temps par Pomdo et il lui arrive de dormir à la maison. En ce moment, il est très préoccupé car sa femme l'a trompé. Il s'est battu avec son rival et sa femme lui a demandé pardon à genoux, mais il ne sait toujours pas s'il doit ou non passer l'éponge. Les relations de couple sont à la fois très simples et très compliquées au Tibet, parce qu'il n'y a pas vraiment de loi. En fait, il n'y a presque jamais de querelles familiales. Nous sommes un peuple profondément pacifique et la colère, associée au désir et donc et à l'ignorance, est chez nous le vice le plus méprisé car il nous interdit l'accès à une bonne réincarnation. Alors, quand un mari et une femme se trompent, comme on dit en France, il n'y a généralement pas de cris ni de disputes. Celui qui a été victime d'une infidélité décide, après mûre réflexion, d'accepter ou non la situation. C'est pourquoi en ce moment précis Thupten Yichi est plongé dans un grand débat avec lui-même. Pardonnera, pardonnera pas ? Je voudrais bien voir sa femme, parce qu'elle est très douce et gentille, mais elle travaille dans la montagne. Alors, comme je m'ennuie, je sors pour courir après les chèvres. Je les traie un petit coup et bois le lait qu'elles m'offrent généreusement.

Nous passons la nuit chez Thupten Yichi qui achève de remplir notre *chouba*. Au final, notre pro-menade n'aura pas été inutile : nous rentrons à Pomdo avec une dizaine de bols de farine d'orge et un bon kilo de beurre de yack.

Mais Mo-la ne m'a pas vraiment pardonné le coup des fleurs, et bougonne une bonne partie du chemin.

Après quelques kilomètres, elle décide de faire une pause et je m'assieds à côté d'elle sur un rocher au bord de la rivière. Soudain, j'aperçois quelques grosses larmes qui roulent le long de ses joues.

— Mo-la, pourquoi pleures-tu ?

Grand-mère se retourne vers moi.

— Petit, les fleurs que tu as coupées, ce sont les fleurs de Dolma, on les appelle les fleurs du souvenir, et c'est un crime de les couper.

— Un crime ! Je regrette, grand-mère, je ne savais pas que Dolma possédait des fleurs…

— Ce n'est pas ta faute, Akönpa, tu ne savais pas. On ne vous instruit plus de l'histoire de votre pays. C'est notre rôle à nous, les anciens, sinon, comment pourriez-vous connaître la tradition et devenir des êtres intelligents ?

— Mais dis-moi, grand-mère, pourquoi ces fleurs appartiennent-elles à Dolma ?

— Écoute-moi bien, petit, je vais te raconter l'histoire de Dolma, et tu comprendras pourquoi ces fleurs sont si précieuses.

Comme d'habitude, je me pelotonne contre Mo-la alors qu'elle commence son récit.

Il y a très longtemps, dans la vallée, vivait une famille heureuse. En ce temps-là, la vallée était encore plus belle, et les bêtes paissaient librement dans les hautes herbes. Le père, la mère et les enfants vivaient dans la paix, loin des villages, quand un jour arriva une horde de féroces cavaliers mongols, qui ravageaient tout sur leur passage. Les Mongols, faisant voltiger leurs sabres, coupèrent la tête du père, de la mère et de tous les enfants. Seule la plus jeune fille, Dolma, qui venait d'avoir treize ans, leur échappa en se cachant dans une sorte de cave creusée sous le plancher de la maison, où l'on conservait les provisions.

Pendant trois longues années, Dolma vécut seule dans la maison silencieuse. Mais comme elle avait toujours travaillé avec son père et sa mère, elle n'eut pas de difficulté à se nourrir. Elle mangeait les fruits des arbres, buvait le lait de la vache que les Mongols n'avaient pas tuée, elle savait même pêcher et cultiver un peu d'orge pour se préparer de temps en temps une écuelle de *tsampa*.

Tous les matins, avant le lever du soleil, Dolma se rendait sur une pente couverte de fleurs et cueillait un joli bouquet. Dès que le soleil apparaissait à l'horizon, elle descendait à la rivière pour y jeter ses fleurs, puis elle les regardait s'éloigner au fil de l'eau, en pensant tristement à ses parents.

Un jour, alors qu'elle cueillait des fleurs en chantant une chanson mélancolique, un jeune homme apparut soudain.

— Petite, que fais-tu donc là ?

Dolma n'avait adressé la parole à quiconque depuis trois ans et murmura sans lever les yeux :

— Rien, je ramasse des fleurs pour les jeter dans la rivière.

Puis elle prit ses jambes à son cou, alla vite jeter son bouquet dans l'eau et retourna chez elle, sans regarder à droite ni à gauche.

Mais pendant toute la journée, elle se sentit toute bizarre, toute remuée. Sans cesse, elle revoyait le visage du jeune homme qui lui avait paru la plus belle chose du monde.

Le lendemain, dès l'aube, Dolma partit plus gaiement que de coutume pour cueillir son bouquet. En approchant de la pente fleurie, elle entendit le son d'une flûte. C'était le jeune homme de la veille, arrivé avant elle. Dolma commença sa cueillette, puis le garçon posa sa flûte dans l'herbe et s'approcha :

— Tiens, regarde, je t'ai cueilli un bouquet.

Dolma tendit le bras le plus loin qu'elle pouvait pour saisir le bouquet sans trop s'approcher du garçon. Mais elle était si émue, si intimidée qu'elle ne parvint même pas à lui dire merci, et courut à nouveau jusqu'à la rivière, en bredouillant à toute vitesse une prière pour son père et sa mère :

— J'espère que vous êtes au Paradis, papa, maman. À présent, je ne suis plus seule dans la vallée. Ne vous inquiétez pas, je suis contente d'être ici et j'ai rencontré un beau jeune homme, qui a l'air très bon. À demain !

En rentrant chez elle, tout le long du chemin, Dolma se promit que le lendemain, elle parlerait au jeune homme. Elle dormit très peu cette nuit-là, attendant avec impatience que le jour se lève.

Mais hélas, le lendemain, elle eut beau regarder de tous côtés, le jeune homme n'était pas là. Elle se mit tristement à cueillir ses fleurs en se faisant mille reproches. Mais, tout à coup, elle entendit derrière elle un bruit de branches cassées. C'était lui ! Dolma ne dit toujours rien, mais elle partit d'un grand éclat de rire et courut se cacher derrière un arbre. Le jeune homme en fit autant, et ils jouèrent ainsi pendant longtemps sur les pentes fleuries. De retour chez elle, Dolma chanta toute la journée en donnant à manger à ses bêtes et en sarclant son petit bout de terrain. Le soir, elle avait frotté toutes les tables et les étagères, balayé à fond le sol en terre battue, épousseté l'autel des ancêtres. La maison, reluisante, semblait aussi joyeuse que Dolma.

Le lendemain, à nouveau, les jeunes gens passèrent une grande partie de la journée à jouer parmi les fleurs.

Pendant tout un mois, Dolma et le jeune homme se rencontrèrent ainsi chaque jour, jouant et causant parmi les fleurs jusqu'au soir.

Mais voilà qu'un matin, Dolma courait comme d'habitude, toute joyeuse, vers le pré fleuri en regardant de tous côtés. Le jeune homme n'était pas là. Inquiète, Dolma choisit ses fleurs une à une, pour passer le plus de temps possible au lieu du rendez-vous, espérant que celui qu'elle attendait allait soudain apparaître devant ou derrière elle. Rien. Personne. Tristement, Dolma reprit le chemin de sa maison. Tout le jour, elle s'occupa à ses tâches habituelles en pensant au jeune homme.

Au milieu de la nuit, elle entendit frapper à la porte. C'était lui ! Elle eut du mal à le reconnaître, tant il avait changé d'aspect. En effet, le jeune homme ne portait plus sa simple chemise de paysan, mais une tunique brodée et un chapeau de feutre orné de pierres précieuses, et tenait par la bride un cheval magnifiquement harnaché. Dolma tomba dans ses bras en pleurant de joie. Le jeune homme conduisit le cheval à l'écurie et revint vers la jeune fille.

— Dolma, il est grand temps que je te dise qui je suis. Nous nous aimons et rien ne doit plus nous séparer. Mon véritable nom est Kunga – jusqu'ici, en jouant, ils s'étaient appelés « garçon » et « fille » pour ne rien avoir à raconter sur eux-mêmes – et je suis le fils du roi qui règne sur le pays de l'autre côté de la montagne. Mon père a décidé que je me marierai avec une princesse qui habite par-delà le grand lac. Mais cette femme est dure, méchante, égoïste, et ne connaît pas la compassion. Pour moi, cette femme est une sorcière et jamais je ne consentirai à l'épouser. Un jour, il y a quelque temps, j'étais parti à la chasse et je m'apprêtais à tirer une flèche sur un chevreuil quand celui-ci s'est retourné vers moi et, levant la patte et tordant le cou, m'a fait signe de le suivre. J'étais bien étonné, et c'est ainsi que j'arrivai à l'endroit où tu vas chaque matin cueillir tes fleurs. Tu étais là, dans la lumière du matin, plus belle que les plus belles fleurs. Ton geste pieux et ta prière ont achevé de me séduire. À partir de ce moment, je n'ai plus cessé de penser à toi, Dolma, mon aimée. Quand je suis rentré au palais de mon père, j'étais malade d'amour, mais j'ai fait semblant d'être vraiment malade, pour que mon père renonce à son horrible projet. Mais il n'a pas changé d'idée, et je suis revenu vers toi, cette fois, pour y rester. Je ne retournerai plus chez le roi mon père, c'est avec toi que je veux vivre.

Le lendemain matin, comme d'habitude, Dolma partit cueillir ses fleurs, tandis que Kunga s'occupait des bêtes et du potager, comme s'il n'avait fait que cela toute sa vie. Cette vie simple, dans la solitude, aux côtés de son aimée, le ravissait. Ils étaient parfaitement heureux. Chaque matin, au lever du jour, Dolma humectait son index de salive et le posait sur le front de Kunga : « Tu rentreras à la maison avant que cette goutte ne soit sèche. » C'est ainsi que les amoureux, chez nous, se jurent fidélité. Et elle ajoutait un petit poème qu'elle avait composé pour lui :

> *Au fond de mon cœur, le prince-dieu est Kunga.*
> *Pas un instant je ne me séparerai de la lumière de mon soleil.*
> *Le jour et la nuit, toujours, je serai près de toi.*
> *Tu es celui à qui j'ai donné mon amour.*

Bientôt, Dolma attendit un enfant. Ce gros bébé, dans son ventre, lui causait bien du souci car elle ne pouvait plus travailler. Mais Kunga redoubla d'efforts pour assurer leur nourriture et apportait chaque jour à son aimée un bouquet de fleurs de la vallée. Or un beau jour, dans un nuage de poussière, apparut une troupe de cavaliers qui se précipitèrent sur Kunga, lui lièrent les mains dans le dos et le hissèrent comme un paquet sur un cheval. Quant à Dolma, ils lui lancèrent quelques coups de fouet et la laissèrent évanouie sur le seuil de sa maison. Tandis que Kunga et les cavaliers disparaissaient à l'horizon, Dolma revint à elle et se mit à pleurer.

— Oh! Kunga, que vais-je devenir? Je sens que le bébé va bientôt naître et je suis de plus en plus faible. Je n'ai même plus le courage d'aller jeter des fleurs dans la rivière en souvenir de mes parents.

Trois jours plus tard, Dolma sentit en elle que le petit voulait sortir, et elle était plus seule et plus malheureuse que jamais. Mais voilà qu'elle entendit à nouveau un bruit de chevaux au galop et presque aussitôt la porte qui s'ouvrait : c'était Kunga, dans ses beaux habits de prince, accompagné d'un homme et d'une femme richement vêtus eux aussi.

— Dolma, voici mon père et ma mère. Ma mère va t'aider à mettre notre enfant au monde. Mon père consent à notre mariage!

Cette fois, les malheurs de Dolma sont bien terminés et, depuis ce temps, elle coule des jours heureux dans le royaume de Kunga, en Mongolie, de l'autre côté des montagnes.

— Voilà, termine grand-mère en me posant à terre, voilà, mon petit, l'histoire de Dolma qui m'a une fois de plus fait pleurer. Chaque fois que je vois ces fleurs, je me rappelle les malheurs de Dolma, et même si l'histoire finit bien, je ne peux m'empêcher de penser à toutes ces années solitaires et à ces cavaliers sauvages qui par deux fois ont traversé sa vie.

— Dis-moi, grand-mère, pourquoi fallait-il que Dolma aille tous les jours cueillir des fleurs pour les jeter ensuite à l'eau ? Pourquoi ce travail inutile ?

— Akönpa, tu le sais, tous les Tibétains ont un grand respect pour les morts. Tout ce que nous faisons pour eux, toutes ces prières, cet encens, ces fleurs sont la preuve que nous ne les oublions pas, et que plus tard, quand à notre tour nous aurons quitté cette terre, nous non plus ne serons pas oubliés. Tu connais bien la compassion que nous éprouvons pour les vivants, pour les hommes et pour les bêtes. Mais pour les morts aussi, nous devons avoir de la compassion, et nous n'avons pas d'autre moyen de le leur faire savoir.

— C'est vrai, grand-mère, et je vois bien dans tes histoires que la souffrance est partout, même chez les princes, même chez les rois. Il faut donc beaucoup de compassion pour tous ceux qui souffrent.

10

MAO EST MORT, IL FAUT PLEURER...

> *Tout le monde meurt mais personne n'est mort.*
>
> Proverbe tibétain

J'ai huit ans et je suis à l'école du gouvernement, l'école du district. Nous sommes tous sagement installés à travailler dans la cour par une journée de septembre 1976 qui commençait bien : soleil et assez bonne humeur générale. Nous écrivons soigneusement sur nos planches de bois, en suivant les traits tracés à la craie au début de la journée.

Tout à coup, le ciel se couvre de nuages. Cinq minutes plus tard, une pluie torrentielle dégouline sur nos têtes et sur nos planches d'écriture. Les efforts de la matinée sont effacés en un clin d'œil. Au même moment, du fond de la cour surgit un des messagers du district, un de ces hommes à la course rapide chargés d'aller de village en village annoncer les nouvelles d'en haut. Cette fois, c'est le fils de la famille Bouche Verte, tout dégoulinant de pluie, qui accourt les bras en l'air :

— Les enfants, les enfants, malheur, catastrophe, Mao Zedong est mort !

Aussitôt, notre instituteur, qui n'a pas l'air vraiment surpris, disparaît dans la classe et en ressort avec la grande photo de Mao, qu'il installe sur une chaise sous l'auvent pour la protéger de la pluie. Non, aucun plus grand malheur n'est concevable, et notre premier devoir consiste à nous pénétrer de l'horrible nouvelle en nous inclinant devant la photo et en psalmodiant après le maître :

— Mao, Mao, notre guide, lumière de l'est, soleil du peuple, notre guide, comment allons-nous vivre sans toi ?

Pendant un temps qui nous paraît infini, nous restons là, sous la pluie, nous regardant en coin en riant sous cape de cette situation inhabituelle. Certains se mouillent les yeux en douce pour avoir l'air de pleurer.

Le maître nous annonce au bout d'un moment que nous devons tous nous rendre au district, où un grand rassemblement est prévu. Tous les habitants des villages du secteur sont convoqués. Le maître m'a confié un lourd drapeau à porter, qui complète ma tenue de parfait petit maoïste, le foulard rouge noué autour du cou.

En tant que porte-drapeau, je prends la tête du cortège. Mais le temps est vraiment devenu épouvantable. En plus de la pluie, des rafales de vent menacent sans cesse de me jeter à terre avec mon étendard. Nous ne pouvons pas passer sur le pont neuf d'où part la route du district, parce qu'une fois encore il a été emporté par la rivière. Nous poursuivons donc à cinq cents mètres de là pour traverser le vieux pont, glissant et inégal, fait de planches pourries et de chaînes rouillées. Nous sommes complètement trempés et le vent souffle en rafales au-dessus de la rivière. Ce qui devait arriver arrive, le drapeau est emporté et tombe à l'eau. C'est tout juste si je ne bascule pas moi aussi par-dessus la chaîne qui sert de parapet. Le maître se précipite sur moi, me tire les oreilles et les cheveux, et commence à me traiter de mauvaise graine et à me battre comme plâtre. Mes « pardon, pardon, maître, je ne l'ai pas fait exprès » ne font que l'exciter davantage. Il m'attache à un poteau électrique, de l'autre côté du pont, et m'ordonne d'attendre là. La troupe défile devant moi, penaud et misérable sous la pluie battante. J'ai tout le temps de méditer mon crime avant que trois élèves ne viennent me libérer, une demi-heure plus tard.

Nous sommes tous rassemblés sur le terrain de foot du district. Nos villages ne sont pas bien grands, mais là, ça ressemblerait presque à une foule, en tout cas à une foule comme je n'en ai jamais vu. Sous l'auvent de la façade, des photos de Mao de toutes tailles nous regardent parmi des milliers de fleurs rouges en papier.

Les *masugma* (gardes rouges des villages) ou *ming ping* (armée de paysans) font agenouiller les crapules dans mon genre avec les anciens propriétaires, et nous devons nous lamenter comme les autres sur la mort du Guide. Le vieux Pelingsten, si doux et si gentil, est obligé de s'allonger de tout son long sur le sol en signe d'humilité. À quelques mètres de moi, la femme de Lodrolpa, le chef du comité de notre village, pleure, crie et s'arrache les cheveux comme si un dieu était mort :

— Notre guide, notre sauveur...

Voici comment nous sommes répartis sur le terrain : dans les premiers rangs, les propriétaires à genoux, les mains liées derrière le dos, la tête touchant le sol. Derrière, les gardes rouges portant brassard, foulard rouge et casquette étoilée, la kalachnikov pointée sur les anciens propriétaires auxquels ils envoient de

149

temps à autre un coup de pied, soit parce qu'ils ont bougé, soit parce que l'envie leur en prend soudain. Ensuite viennent les enfants des écoles, et enfin la masse des paysans.

Toutes les cinq minutes, nous sommes invités à brandir le poing gauche et à crier en chœur :

— Mao Zedong, soleil de l'est, libérateur du peuple, Mao Zedong, planteur d'une nouvelle génération de la modernité !

(Mao a instauré en Chine quatre grands secteurs de « modernité » : le développement industriel, agricole, militaire et scientifique.)

Les chefs du parti des différents villages animent la cérémonie, si on peut employer un tel mot pour une séance qui nous paraît aussi absurde. Après tout, nous sommes bouddhistes, et pour les bouddhistes la mort n'est pas particulièrement triste. Bien sûr, nous avons été dressés à apprécier les vertus du grand Mao, nous avons le sentiment qu'il sera difficile à remplacer, mais chez nous, la seule chose à faire, quand quelqu'un meurt, est de réciter les prières du *bardo* de la mort pour l'aider à s'assurer une bonne réincarnation. Il ne sert à rien de se lamenter, ni de clamer son enthousiasme. Pour les vivants, il s'agit surtout de trouver un nouveau guide. Tandis que les chefs de villages apportent de nouvelles fleurs, blanches cette fois, nous continuons de nous interroger sur le sens de tout cela.

Tout à coup, Pelingsten aperçoit du coin de l'œil la femme de Lodrolpa en pleine crise d'hystérie et pouffe de rire. À vrai dire, sa condition ne pourrait pas être pire, et la mort de Mao ne peut apporter que de bons changements pour lui. Mais un garde rouge l'a vu rire et le dénonce. Aussitôt, une pluie de coups s'abat sur notre vieil ami.

Pour varier les plaisirs, le haut-parleur nasillard nous envoie de temps en temps l'hymne national chinois, que nous chantons tous à pleins poumons. Au moins, ça réchauffe :

L'Orient est rouge, le soleil se lève.
La Chine a vu naître Mao Zedong.
Il œuvre pour le bonheur du peuple.
Il est la grande étoile sauvant le peuple.

Enfin, à la nuit tombante, la cérémonie se termine et tout le monde est renvoyé dans ses foyers. Mais aussitôt les langues se délient. Par petits groupes, les gens se réunissent et discutent de l'avenir. Seul Pelingsten ne peut pas participer aux débats. Il a été envoyé à la prison où il mourra dans quelques jours des coups reçus le jour de la mort de Mao. Mon père me confie que Pelingsten lui raconta un jour un de ses rêves : un singe se battait contre un panda très méchant et, à la fin, il avait le dessus. Le panda était l'animal totem de Mao. S'il avait raconté de telles choses en prison, rien d'étonnant à ce que les gardiens l'aient achevé.

Dans le village, les opinions sont partagées. Il y a beaucoup de bruit et d'agitation. Chacun se demande de quoi sera fait le lendemain . Pour nous, les enfants, cela représente avant tout trois jours sans école. La joie est partout et tout le monde se couche très tard. Je pars avec grand-mère ramasser des orties. Une vieille dame d'un village voisin nous accompagne. Je pose à grand-mère la question qui me brûle la langue :

— Pourquoi cet étalage de douleur?

Grand-mère me caresse les cheveux et me dit que je ne peux pas comprendre, qu'il se passe plein de choses incompréhensibles dans la vie… En fait, j'ai l'impression qu'elle ne veut pas répondre parce qu'elle a peur que je répète, que je répète que tout ça n'a rien de tibétain, que l'image de Mao n'a pas à être exposée, qu'il est absurde de se prosterner devant un homme, que la seule chose importante est le *bardo* de quarante-neuf jours, etc.

Pendant huit jours, les cérémonies continuent sur le terrain de foot et dans la salle du comité du village, mais les enfants des écoles en sont dispensés. La chef du groupe femmes du comité, leader du groupe local des héroïnes du peuple, n'a vraiment rien d'une héroïne comme on en voit dans les films de propagande. Son mari est garde forestier, et elle est chargée d'organiser la fabrication des centaines de fleurs en papier destinées à orner l'autel de Mao et à décorer les façades des maisons. Devant chaque maison, nous devons afficher les photos flambant neuf de Mao qui nous ont été distribuées, et les entourer d'une guirlande de fleurs blanches. C'est le minimum obligatoire, mais rien n'interdit d'en faire davantage, ce que ne manquent pas de faire les fonctionnaires zélézs qui empilent deux, trois guirlandes de fleurs, des *khatas* et autres décorations.

Les villageois sont consignés au village. Interdiction de s'éloigner et de s'attrouper en dehors des convocations officielles. Pourquoi ? Les Chinois auraient-ils peur d'une révolte ? De toute façon, tous doivent se retrouver l'après-midi au comité pour écouter la lecture des pensées de Mao par le chef du comité. À cette occasion, chaque famille reçoit le cinquième tome des pensées de Mao, ce qui leur fait une belle jambe vu que pratiquement personne ne sait lire.

Le deuxième ou troisième jour après la mort de Mao, tous les habitants du village sont réunis dans la grande salle du comité. Nymapa, un copain, et moi décidons de nous sauver de là. Nous en avons assez des inclinaisons de buste et des larmes de crocodile.

Aussitôt dehors, nous constatons que nous avons faim, et que c'est un bon jour pour éviter cette sensation désagréable. Les rues du village sont vides et nous passons devant l'entrepôt où les fonctionnaires qui travaillent au comité font sécher leur viande. Nous ne faisons ni une ni deux. Nymapa me fait la courte échelle et je passe par la fenêtre. Puis il me passe un bâton fourchu et je décroche plusieurs jolis morceaux de viande noire et sèche comme nous l'aimons.

Ensuite, nous nous arrêtons à la porcherie de la municipalité pour dévorer notre festin. Malheureusement, je ne serai jamais un parfait criminel et je trouve toujours moyen de me faire attraper. Un bout de viande dépasse de ma poche et Ama-la l'aperçoit. Je suis soumis à un interrogatoire serré mais rien ne pourrait me faire avouer la vérité :

— C'est un voisin qui me l'a donné.

— Quel voisin ?

— Euh... !

Mais voilà les parents de Nymapa qui débarquent. Le lâche, le faible a tout de suite avoué. La viande appartenait à une de leurs cousines, dont le mari travaille au comité. Le père de Nymapa est furieux, et ma mauvaise réputation me désigne aussitôt comme le coupable. Ça discute ferme : remboursement, punitions. J'ai contre moi le fait que je suis la terreur de la vallée et l'aîné. Les parents de Nymapa nous regardent de haut et accusent les miens de m'avoir envoyé chaparder la viande pour nourrir leur misérable famille.

En fait, pour résumer la situation, Mao est mort, je mange de la viande à m'en rendre malade parce que tout le monde se trouve au comité, et qu'il n'y a pas école. Merci et vive Mao !

11

UNE VIE MEILLEURE

Celui qui a le plus de qualités est comme un arbre chargé de fruits dont les branches s'inclinent près du sol.

Proverbe tibétain

Après la mort de Mao, grâce au bref passage de Hua Guofeng au pouvoir, et au rapport remis par Hu Yaobang, le nouveau secrétaire du parti communiste chinois, indigné par l'état dans lequel il a trouvé le Tibet, il faut reconnaître que nos conditions de vie s'améliorent. Les yacks, et même la terre, tout à coup, ne sont plus propriété de l'État et sont redistribués aux anciens paysans. Évidemment, cette répartition ne s'opère pas sans problèmes, d'autant qu'elle ne tient aucun compte de ceux qui étaient autrefois propriétaires de troupeaux ou de terrains plus ou moins importants. Elle se fait uniquement en fonction du nombre de personnes appartenant à un même foyer. D'autre part, certains villageois ne veulent absolument pas posséder de bétail et la décision de l'État se voit contestée. Certains ont trop bien retenu les préceptes du communisme : « Nous vivrons mieux ensemble, l'union fait la force », etc. Mon père est favorable au partage et me l'explique clairement :

— C'est mieux ainsi : chacun son bien, chacun son travail. Chacun aura ses responsabilités : celui qui voudra travailler mangera, et les autres non.

Il pense évidemment aux fonctionnaires du Parti qui ne se donnent pas grand mal et se contentent de toucher leur salaire. Chacun des membres de la famille se voit allouer une ou plusieurs bêtes.

C'est mon père, l'homme le plus savant du village, qui est chargé de jouer les géomètres et d'arpenter les terres destinées à toutes les familles. Son prestige s'en trouve accru.

Deux ou trois mois plus tard, il est temps de procéder au partage du bétail. Mon père écrit soigneusement sur un grand livre qui sera propriétaire de quoi. Je dois obtenir une chèvre, un yack et une vache, et, pour nourrir, plus tard, ma propre famille, un petit champ de 2 000 m². Je vais chercher moi-même ma chèvre dans l'enclos et la ramène à la maison. Ma sœur Ané, habituée à s'occuper des animaux, s'empresse de critiquer mon choix – d'ailleurs, elle me critique sans arrêt.

— C'est une chèvre de mauvaise race, elle te ressemble, tu n'en tireras rien !

L'étable est un peu petite pour tous les animaux que nous avons récupérés et voilà qu'ils commencent à se battre. Plus tard, nous les lâchons dans la montagne, mais alors, bien malin qui les reconnaîtra. Nous avons désormais le droit de tuer les yacks pour nous nourrir. Oui, vraiment, la vie a bien changé.

Nyiko m'apprend à monter sur les yacks. Au total, nous en possédons une vingtaine. Le village respire, et tous osent enfin dire leur soulagement depuis la mort de Mao.

Malgré l'amélioration de la vie, notre principale activité – en tout cas la mienne – consiste encore et

156

surtout à faire des bêtises. J'ai grandi et je fréquente maintenant l'école du gouvernement qui se trouve au siège du district, assez loin de la maison.

Un des maîtres se nomme Pema Sonam. C'est mon demi-frère et je le déteste. La haine est d'ailleurs réciproque car il a honte de notre père commun, qui ne partage pas son enthousiasme pour le communisme. Pour lui, les paroles de Mao sont sacrées. J'essaie de me raisonner en me disant que mon *karma* se doit de le supporter. Mais moi, l'enfant de pauvre, trop petit pour me mesurer à lui, je souhaite le tuer. L'administration du district le tient en haute estime. Le directeur de l'école, Choto Pari (le galet, en raison de sa lèvre supérieure en forme de boule), est plus sympathique et a sous ses ordres une vingtaine de professeurs tibétains et chinois.

Les élèves viennent de différents villages. Ceux qui habitent vraiment trop loin sont pensionnaires. Mon village n'étant qu'à trois kilomètres, je rentre tous les soirs à la maison.

Il faut tout de même plus d'une demi-heure de marche pour arriver à l'école gouvernementale, et nous devons franchir le nouveau pont de béton, très haut au-dessus de la rivière. Un jour, un enfant du village disparaît. On le retrouve le lendemain perché sur une des ogives de béton soutenant le tablier. Les villageois qui l'ont trouvé là lui demandent aussitôt comment il a pu se hisser dans un endroit aussi dangereux. Il balbutie, terrorisé, pleurnichant, que des hommes masqués l'ont transporté là... Personne ne semble étonné, car nous savons tous que des fantômes viennent errer le soir au bord de la rivière.

À partir de ce moment, nous n'avons plus eu le droit de franchir le pont tout seul après le coucher du soleil.

Avant le concours d'entrée à l'école n° 3 de Lhassa, nous avons droit à des heures de cours supplémentaires pour nous préparer ; l'examen est très sérieux et comprend six matières : tibétain, chinois, mathématiques, histoire, sport et danse. Les cours ont lieu le soir et il faut bien rentrer à la nuit. Comme je suis le plus grand du groupe, on me confie les plus petits, mais je vends mon rôle de guide, contre des bonbons ou des cigarettes, à Pathol, dont le père est fonctionnaire municipal. Elle a donc accès à des biens enviables : cigarettes, stylos, blocs de papier. Comme elle a un faible pour moi, elle se montre très généreuse. Mais un jour, son père découvre mon manège et me convoque à la mairie :

— Tu sais très bien que tu n'as pas le droit de faire ça, maudit garnement !

— Ben, si votre fille a besoin d'être accompagnée, j'ai bien droit à une petite récompense...

Face à un argument aussi solide, il va voir ma mère pour lui exposer ma façon de considérer les choses. Pour une fois, Ama-la ne se met pas en colère, mais elle me fait promettre de raccompagner scrupuleusement Pathol tous les soirs, sinon notre famille aura encore des ennuis par ma faute.

Il faut dire que Pathol est moche comme un pou de yack, et que je profite de l'obscurité pour biser les mignonnes dans le cou. Un soir, je la laisse carrément tomber. Elle doit donc attendre le départ du prof pour rentrer chez elle. Heureusement, elle n'ose rien raconter car elle est un peu amoureuse de moi, assez en tout cas pour porter mon sac quand j'accepte de la raccompagner.

Le premier juin a lieu la fête de l'école. Une fête importée par les communistes pour tous les enfants chinois. Ce jour-là, nous sommes habillés comme des princes, ou du moins du mieux que nous pouvons, et nous arborons tous le foulard rouge et la casquette. Nous jouons quelques saynètes inspirées par Charlot, qui est l'un de nos héros (défenseur des pauvres, il a toujours été bien vu des communistes, tout Américain qu'il était), des scènes de la vie de Lee Fang, un héros de la Longue Marche qui nous passionne particulièrement, ainsi qu'un ballet inspiré par les danses chinoises, sur une musique nasillarde, au cours duquel nous portons des pompons rouges. Ces spectacles exemplaires sont suivis de matchs de foot. Un grand repas est organisé dans la cour de l'école. Nous avons droit à un plat de viande et à des bonbons.

Le directeur, Choto Pari, est très gentil, mais il a bien du mal à articuler avec son bec-de-lièvre et, naturellement, les élèves se moquent de lui.

Être à cheval sur deux conceptions de la vie a parfois des conséquences douloureuses pour beaucoup d'habitants du village. Nous, les enfants, sommes pleins d'enthousiasme pour le nouveau régime. La propagande fait son effet : les grandes causes et les héros que l'on nous donne comme modèles nous paraissent parfaitement crédibles et admirables, même si les séances d'endoctrinement durent un peu longtemps à notre goût. Je peux encore aujourd'hui vous chanter la version chinoise de « Bella Ciao », qui accompagnait un film yougoslave, une histoire de guerre et de pont dont je ne peux me rappeler le titre mais qui devait chanter la gloire de Tito et de ses troupes, que nous avions trouvé splendide.

Sans doute verrions-nous les choses différemment si nos parents s'exprimaient devant nous, mais la loi du silence règne, dictée par la peur des dénonciations. Non, vraiment, nous ne sommes pas anti-Mao, ni anti-Chinois. Comment pourrions-nous l'être ? Nous avons bien appris notre leçon, et les Chinois nous impressionnent. Je voudrais être habillé comme un Chinois, porter de beaux habits de drap bleu et des brassards rouges. Ceux que nous distribuent les fonctionnaires sont tellement sales et troués que nos mères se précipitent pour coudre des pièces partout, ce qui fait qu'ils nous font encore plus honte que nos *choubas* crasseuses et nos pantalons traditionnels fendus pour pouvoir faire pipi plus facilement.

D'ailleurs, cette tenue traditionnelle a aussi ses avantages : elle est bien adaptée à nos besoins et au climat. La longue ceinture tissée en poils de yack nous sert aussi bien à tenir la *chouba* et le pantalon qu'à lier les fagots de bois que nous rapportons de la montagne. À cette ceinture sont attachés : à gauche, une sorte de poche en tissu et corne de yack dans laquelle nous gardons fil et aiguilles en cas de besoin ; au milieu, sur le ventre, la *meja*, la boîte à « allumettes » (une pierre et une boucle de métal sur laquelle on frotte la pierre) qui permet d'allumer le feu ; pour terminer le tout, à droite, un couteau. Malheur à celui qui inverserait cet ordre immuable ! d'autant plus que les filles portent les mêmes ustensiles, mais du côté inverse.

En fait, le combat que mènent nos parents consiste à vivre dans le respect des traditions – dans la mesure du possible, sans heurter les consignes édictées par les fonctionnaires. Ainsi, il y a dans le village un très vieux forgeron qui, chaque printemps, avant les labours, vient passer une journée chez nous pour forger socs, faucilles et couteaux dont nous aurons besoin tout au long de l'année. C'est une tradition aussi ancienne que le métier de forgeron, et celui de Pomdo comme les autres passe une journée dans le jardin de tous ceux qui cultivent la terre.

Mon père fournit le fer et le charbon de bois nécessaires au travail du forgeron. Ce charbon, c'est nous qui l'avons fabriqué quelque temps auparavant, soit au bord de la rivière, soit dans la montagne près d'une source. On fait longuement brûler du bois, puis on arrête sa combustion en l'aspergeant d'eau, puis on recommence l'opération jusqu'à ce que le bois se soit transformé en charbon.

Avant le temps des labours, donc, ce très vieux forgeron (je revois ses yeux bleuis par la cataracte, sa peau sombre et ses rides profondes) débarque dans le jardin devant la maison et installe son matériel. Il creuse un trou dans le sol pour y faire le feu sur lequel le métal sera porté à blanc, à proximité d'une grosse pierre plate qui lui tient lieu d'enclume. C'est moi qui actionne le soufflet jusqu'à ce qu'on ait un feu d'enfer. Mes grands frères, Choto et Nyiko, sont chargés de battre le métal avec les énormes masses, balançant les bras et alternant les coups comme des divinités du feu. D'ailleurs, notre maître de forge s'appelle Tsela Kashu, qui est le nom du dieu des forgerons.

Le métier de forgeron a ceci de particulier qu'il est à la fois hautement considéré, puisque indispensable à la vie du village, et traditionnellement méprisé parce que les forgerons appartiennent à la catégorie des « os noirs », comme la plupart des travailleurs manuels (les menuisiers, charpentiers et potiers sont à peine moins mal vus). La mauvaise réputation des forgerons vient aussi du fait qu'ils fabriquent les outils tranchants avec lesquels on tue le bétail. Or nous, hypocrites Tibétains, adorons manger de la viande, mais notre religion nous interdit, en principe, de tuer les animaux. Os noir, bien sûr, se réfère à la peau bronzée, plus sombre que la nôtre, des gens qui passent toute la journée à travailler dehors. Sans doute pensait-on que les os de ces travailleurs de plein air avaient fini par prendre la même teinte foncée que leur peau. Dans la hiérarchie traditionnelle tibétaine, il fallait être médecin, moine, lettré ou commerçant pour être bien considéré. Bien sûr, les Chinois avaient mis bon ordre à cela en inversant tout simplement cette hiérarchie.

En conséquence, notre os noir de Tsela Kashu n'a pas le droit de franchir le seuil de la maison. Il le sait, comme nous, et cela ne pose aucun problème. Simplement, comme il passe toute la journée parmi nous, ma mère lui porte son repas au jardin pendant que nous rentrons manger à la maison. Pis encore, après son départ, on laisse son bol traîner pendant une bonne semaine dans le jardin, pour qu'il soit un peu purifié par les éléments avant de nous en servir de nouveau.

Pourtant, déjà fort utile par son travail, notre forgeron est auréolé de gloire depuis le temps de l'invasion chinoise. À cette époque, Tsela Kashu était parti travailler dans un village à quelques kilomètres de Pomdo, dans la vallée de Reting. Quand il vit débarquer les militaires chinois, il se douta qu'ils ne tarderaient pas à atteindre Pomdo. Alors, il s'éclipsa et marcha toute la nuit pour arriver à temps et prévenir les habitants du village. À quatre heures du matin, Pomdo savait, et le lendemain les Chinois étaient là.

La vie de ce pauvre homme est fort contrariée par le nouveau régime. Il a deux enfants d'un premier lit, communistes acharnés. L'un deux, Lodrolpa, est lui aussi forgeron et chef du comité du village. D'une seconde femme, il a deux fils plus jeunes dont l'un, Moyoba (le tordu bleu, parce qu'il avait un air penché), est mon ami.

J'aime beaucoup Moyoba avec lequel nous avons instauré un petit trafic de couteaux, qu'il forge pour nous en échange de charbon de bois que nous subtilisons dans la réserve des parents. Nous revendons ensuite ces couteaux aux nomades de passage. Nous avons le droit d'en garder un sur nous. Les Chinois, encore une fois, ont établi une règle : chacun peut porter un couteau de la longueur de son avant-bras, main tendue.

Le pauvre Tsela Kashu n'a vraiment pas de chance avec ses fils. Un jour que nous lavons nos vêtements à la rivière, toujours très agitée et pleine de remous, Moyoba tombe à l'eau et se noie. Son corps sera retrouvé quinze jours plus tard, à quelques kilomètres en aval de Pomdo. Quant à son frère, un peu plus âgé, on le retrouvera un jour pendu à un arbre, juste à la sortie du village.

Non, vraiment, Tsela Kashu n'est pas chanceux, d'autant plus que sa seconde femme est une épouvantable mégère, une fanatique du communisme qui lui crache son mépris à la figure et compose des hymnes à la gloire du Parti.

Je me rappelle l'un de ces chants dont elle était très fière, que nous ressassions sur son passage pour nous moquer d'elle, en accompagnant les paroles d'épouvantables grimaces et de gestes grandiloquents :

> *Les mots de ma chanson*
> *Se répandent dans le vaste monde.*
> *Quand j'agite bien haut mon drapeau rouge,*
> *Tous les vents virent au rouge.*
> *Quand le soleil se lèvera,*
> *Le peuple sera prêt.*
> *Quand le soleil se couchera,*
> *Le ciel deviendra rouge,*
> *Comme le sang du peuple.*
> *Voilà le vrai bonheur,*
> *Nous dit Mao Zedong !*

Forgeron de père en fils, comme tous les forgerons du Tibet, Tsela Kashu vient travailler avec nous à la restauration du monastère, avant que je ne quitte Pomdo pour Lhassa. Il est chargé de fabriquer les lourdes barres de fer et les énormes clés qui tiennent les portes.

À propos de forgerons et d'os noirs méprisés, il m'arriva un jour une petite aventure qui faillit mal tourner.

Au pied de la Pyramide, la grande montagne qui domine Pomdo, se niche un petit hameau qui comprend cinq ou six maisons. C'est là, à Nyingpo-gan (le cœur du village), qu'habite l'une de mes tantes, avec ses deux enfants dont nul n'a jamais connu le père. Les gens qui habitent Nyingpo-gan sont un peu en marge de la société : familles du *ragyapa*, du forgeron, des femmes sans mari, etc.

Ma mère m'a demandé d'aider ma tante à moissonner son champ d'orge. Nous partons à trois ou quatre jusqu'au bord de la rivière de Reting. Pour la première fois, je traverse la rivière dans un *coracle*, bateau rond en peau de yack. Je suis encore petit et j'ai très peur. Descendus à terre, nous demandons où nous devons travailler. Une rude journée nous attend à couper l'orge à la faucille sous un soleil brûlant. Pour me détendre, je discute avec un cousin éloigné, dont le père est forgeron. Le soir, nous sommes affamés et complètement assoiffés. Mais la tante nous a préparé un bon dîner et nous sert du *chang*. Le cousin en boit pot sur pot et devient d'humeur agressive. Moi aussi j'ai bu et, pris d'audace, je me moque de son père, répétant comme un imbécile tous les ragots que l'on colporte habituellement sur les forgerons. Alors il se redresse de toute sa hauteur. Je suis bien trop petit pour me battre contre lui. Il me crie que les forgerons ont édifié le communisme, qu'ils sont les plus grands travailleurs de la terre, qu'on ne pourrait pas vivre sans eux. Fatigué et énervé, je me mets à le traiter d'os noir et il se jette sur moi pour me battre. Je réserve ma vengeance pour plus tard.

Arrive le moment de retourner au village et de passer à nouveau la rivière dans notre frêle embarcation. Je suis encore en colère et vexé de ne pas avoir pu me battre contre mon cousin. Au milieu de la rivière, je le pousse en traître par-dessus bord et il tombe à l'eau. Heureusement l'eau n'est pas très profonde et il s'en sort trempé mais indemne. À l'arrivée, je saute à terre à toute vitesse et file à la maison sans demander mon reste. Ama-la me demande comment s'est passée la journée.

— Très bien, Ama-La, très fatigant, mais ton fils est courageux.

Je ne rate jamais une occasion de me faire mousser, pour compenser tout le mal que l'on pense de moi dans le village. Mais je sais que le cousin viendra se plaindre à la maison. Je file chez Makhopa lui raconter ce qui s'est passé et, comme d'habitude, ses compliments me réconfortent. Nous sommes peut-être pauvres, mais, au moins, on n'est pas des forgerons. Pas question d'avoir à faire avec ces gens-là.

Il y a toujours quelqu'un pour se plaindre de moi. C'est une fatalité. Et mon père a beau essayer de me changer, rien n'y fait. Mais un jour, il prend une grande décision. Nous partons en voyage, Chotil et moi.

Il a décidé que nous irions voir sa sœur Karma Samten (esprit de l'étoile éternelle). Je n'ai aucune idée de la raison pour laquelle il m'emmène faire connaissance de cette tante qui habite à quelque cent kilomètres de Pomdo. Près de chez elle, vit le guérisseur le plus célèbre du Tibet, un certain Lupatho. Ce Lupatho, tous les nomades viennent le voir. Il fait des miracles, paraît-il.

Papa pense que si je suis si vilain et intraitable, c'est que je suis malade et que Lupatho pourra peut-être me guérir. Bien sûr, il ne me prévient pas que nous allons voir le guérisseur. La tante est un prétexte suffisant. Il sait bien que je n'accepterais jamais de le suivre, de marcher pendant trois jours, en traînant un veau comme cadeau pour la tante, pour aller me faire soigner alors que je ne me sens pas du tout malade. Quelle idée! Nous emmenons un cheval, sur lequel Chotil m'autorise à monter quand je commence à traîner la jambe. Ma tante nous accueille très aimablement, mais je m'aperçois vite que dans ce coin-là les gens ont un accent bizarre, qu'ils ne parlent pas comme nous à Pomdo. Les cousins sont très gentils et, dès mon arrivée, ils m'emmènent voir la curiosité du pays : un grand lac de barrage qui alimente la centrale électrique Tagko Chudzo (le barrage de la tête du tigre, car, pendant la construction, les contremaîtres se montraient aussi féroces que des tigres avec les ouvriers). Malheureusement, encore une fois, je trouve le moyen de me battre avec l'un des amis de mes cousins qui se moquait de ma manière de parler. Comme si ce n'était pas leur manière de parler qui n'était pas normale! Mon cousin rentre à la maison et raconte tout à Chotil qui est furieux après moi.

Le lendemain, mon pauvre père a donc une raison de plus de m'emmener voir le guérisseur. En chemin, il me fait la morale.

— On ne se comporte pas comme ça, et encore moins quand on n'est pas chez nous!

Une centaine de personnes attendent devant la porte de Lupatho. On tire au sort à qui passera

166

aujourd'hui. Nous avons de la chance et passons en premier. Le docteur me fait allonger et déshabiller, puis m'examine sous toutes les coutures. Je proteste bien un peu, mais il est plus fort que moi. Satisfait, il me donne deux coups de poing sur le dos.

— Cet enfant n'a rien du tout. Il est en parfaite santé. Je ne vois pas ce que je pourrais faire pour toi, Chotil. Mais rassure-toi. Il est peut-être indiscipliné pour le moment, mais un jour, il va réaliser ton rêve.

Après avoir prononcé cet oracle, le docteur me fait sortir du cabinet. Tant qu'à faire, il souhaite aussi examiner mon père.

Une cousine attend dehors. Elle se précipite sur moi :

— Alors, qu'est-ce que tu as ?

— Ce n'est pas un docteur, c'est une brute. Il ne m'a pas soigné, il m'a donné des coups de poing.

Finalement, tout le monde se sent insatisfait, et nous n'avons plus qu'à prendre le chemin du retour. Le lendemain, ma tante nous trouve un tracteur qui part en direction de Pomdo. C'est la première et la dernière fois que je vois cette tante. Je le regrette, parce que ses enfants et elle étaient fort sympathiques. Comme toujours bourré de contradictions, je suis content de rentrer à la maison, mais triste de les quitter. À Pomdo, nous ne disons rien à personne. Ça ne se fait pas de raconter les actes inhabituels. Ça ne doit pas sortir de la famille.

Peu de temps après, j'apprends la mort de ma tante. Je crois bien que j'ai pleuré.

Pour en revenir au registre des traditions et du mystère qui, malgré la présence des Chinois, imprègnent notre vie, je passe du printemps à l'automne pour vous raconter une anecdote que je n'oublierai jamais, d'autant plus que si je revenais à Pomdo je saurais immédiatement où aller pour retrouver intacte une émotion vieille de presque vingt ans.

— Allez, les enfants, aujourd'hui vous n'avez pas école, vous allez creuser le trou des pommes de terre, nous demande un jour mon père Chotil.

Tous les ans, avant l'hiver, nous creusons dans le jardin un trou très profond dans lequel nous enfouissons les pommes de terre et les carottes que nous consommerons pendant la saison hivernale. Le fond du trou est tapissé de sable, et nous en remettons entre les couches de légumes pour les préserver du froid. Pendant tout l'hiver, maman ou grand-mère vont régulièrement faire leurs courses dans le trou.

— Tout de suite, papa.

Nyiko et moi nous emparons de bêches pour attaquer la lourde tâche. Un mètre de terre est bientôt déblayé et nous nous reposons, appuyés sur le manche de nos bêches. Chotil passe par là.

— Allez les enfants, encore, il faut creuser au moins deux fois plus profond !

Nous nous remettons au travail en bougonnant, et, une demi-heure plus tard, nous laissons échapper un cri de surprise :

— Qu'est-ce que c'est, Nyiko ? demandé-je à mon frère, qui reste lui aussi bouche bée, les bras ballants.

Au fond du trou, nous apercevons une lance de deux mètres de long au moins, posée au fond d'une pierre creusée comme un sarcophage.

Nyiko saute dans le trou, prêt à essayer de dégager l'énorme lance, mais Chotil revient dans notre direction.

— Arrêtez, malheureux ! Ne touchez pas à ça ! C'est vrai, j'avais oublié qu'elle se trouvait là.

— Qu'est-ce que c'est, papa ?

— C'est une histoire très ancienne. Je ne me rappelle plus les détails, mais cette lance a plusieurs centaines d'années. C'était sans doute la tombe d'un guerrier qui a été enterré ici avec ses armes. Je suis déjà tombé sur cette lance, et j'ai vite refermé le trou. C'est un objet sacré, et nous n'avons pas le droit d'y toucher. Mes enfants, c'est ce que vous allez faire maintenant. Refermez le trou, et commencez à en creuser un autre à l'autre bout du jardin.

Furieux et frustrés, Nyiko et moi ne pouvons qu'obéir et nous exécutons en maugréant. Nous aurions tant voulu brandir cette lance et inspecter de plus près l'étrange tombe. Peut-être tout cela vaut-il une fortune. Pourquoi ce silence et ce respect ? Mais nous n'en saurons pas plus. Quand il le veut, Chotil peut être très mystérieux.

Il est plus bavard sur le chapitre des chevaux et de leurs pouvoirs magiques. Nous avons deux chevaux qui ne se quittent jamais, deux étalons vigoureux et élégants.

Papa m'explique :

— Regarde, Akönpa, ces deux-là ne mangent jamais à l'heure des esprits des morts. Ils écoutent les esprits qui leur parlent. Tu verras, pendant une heure, ils restent parfaitement immobiles. La cloche qui est pendue à leur cou ne tintera pas une seule fois.

Je suis resté près de Tiang, le plus joli des deux, pendant l'heure des esprits des morts. En effet, tout à coup, il s'est totalement arrêté de bouger et de manger, alors que sa mangeoire était pleine. Vers 22 heures, à la fin de la période nocturne pendant laquelle rôdent les esprits des morts, Tiang s'ébroue et recommence à manger.

— Il n'y a que les mâles qui entendent les esprits, les juments ne peuvent pas communiquer avec eux, ajoute Chotil.

— Pourquoi les mâles et pas les femelles, papa ?

— Observe bien leur robe : sur le poitrail et sur le dos, les poils sont disposés différemment chez les mâles et chez les femelles. Les poils du cheval forment des tourbillons orientés vers leurs oreilles, de manière à mieux capter les bruits extérieurs. C'est pour cela qu'ils sont si nerveux. Ils entendent des choses que personne d'autre n'entend. Ces tourbillons sont les ailes du vent, et portent le plus petit murmure jusqu'à eux.

Je suis émerveillé par tant de savoir. Le lendemain soir, une fois couché, je tends l'oreille de toutes mes forces pour essayer d'entendre les esprits des morts. Mais rien à faire, je suis sourd, et je ne suis pas un cheval.

12

LE NOUVEL AN RETROUVÉ

Joyau de bonheur,
Trois joyaux rassemblés,
Je vous souhaite bonne santé
Et tous mes vœux de bonheur.

Chant du nouvel an tibétain

J'ai huit ans quand, pour la première fois depuis l'invasion chinoise, on célèbre le nouvel an tibétain. C'est une grande joie pour moi, comme pour tous les enfants et tous les habitants du village. Ce jour-là, enfin, on nous a promis que nous aurions le ventre plein.

Le vingt-cinquième jour du mois précédant le premier mois de l'année (plus ou moins aligné sur le nouvel an chinois depuis la domination des Mongols, le nouvel an tibétain est en général célébré en février), tous les Tibétains, à Pomdo comme ailleurs, commencent par nettoyer leur maison de fond en comble. Tous les esprits malins, génies taquins ou cruels qui hantent les maisons doivent disparaître, et comme ils ont la mauvaise habitude de se tapir dans tous les recoins, un grand ménage est nécessaire pour s'en débarrasser.

L'extérieur des maisons a été badigeonné à la chaux au cours du mois qui précède, et on a soigneusement

171

repeint le tour des fenêtres en noir, selon la tradition *bön*.

Grand-mère a sorti tous les meubles et tous les objets de la maison. Pour dire vrai, ça ne représente pas grand-chose. Nos possessions se résument à quelques casseroles, une table-coffre, un peu de vaisselle, les matelas en poils de chevrotain et les couvertures en laine de yack, notre bien le plus précieux. Ané, Nyiko et moi nous couvrons de vêtements pour nous protéger le mieux possible car le ménage consiste à frotter, armés de balais de paille, toute la suie qui recouvre le plafond, les poutres et les murs. Et une année de suie dans une petite maison tibétaine représente plusieurs seaux de cette poussière noire avec laquelle nous fumons les champs et fabriquons notre encre. D'ailleurs, faire le ménage, en tibétain, se dit *duwa babpa* (collecte de la suie). La cuisine est le lieu de résidence du dieu du foyer, et celui-ci nous sera reconnaissant de ce grand nettoyage. Naturellement, nous nous retrouvons bien vite noirs de la tête aux pieds, malgré nos vagues tentatives pour nous protéger. Nous aimons beaucoup cette activité exceptionnelle. En fait, nous nous lavons si peu que nous sommes généralement crasseux, mais cette fois, c'est du sérieux. Pas un pouce de peau n'y échappe. Nyiko et moi sommes ravis de ne plus voir que le blanc de nos yeux.

D'ailleurs, tous les enfants du village sont transformés en Africains, et, le travail terminé, nous sortons rejoindre les copains. Ce jour-là, nous décidons de jouer un mauvais tour à la fille de la famille Vautour, que nous appelons Achiwa, une sorte de mot argotique pour fille, qui signifie en fait femelle. Nous attrapons donc Achiwa et la traînons de force jusqu'à la rivière.

— Allez, lave nos vêtements ou on te jette dans la rivière.

Pendant que la pauvre fille s'exécute, nous grelottons de froid. Alors nous nous emparons de sa *chouba* et nous nous la mettons tour à tour sur les épaules. Suite à cet événement, la mère Vautour vient évidemment se plaindre à la maison. Ané attrape le balai qu'elle vient juste de poser et me donne une rossée. Je suis parti me cacher sous le fourneau, dans le bac à cendres, mais elle me cherche partout en criant :

— Akönpa, sale gosse, arrive ici !

Puis, pour se reposer de ses efforts, ou peut-être par ruse, elle commence à ranimer le feu pour se faire du thé. Quand les premières brindilles enflammées me tombent dessus, je sors en hurlant de ma cachette. Ané me tire par les cheveux et il faut bien que je m'explique. Bien entendu, je raconte que c'est une idée de Nyiko, qui, bien plus rapide que moi, s'est réfugié depuis longtemps au « grenier », c'est-à-dire sur le toit de la maison où se trouve la réserve de paille. Nous finissons tout de même par nous réconcilier et Ané me donne du thé que je savoure assis à la « place de grand-mère », entre le fourneau et la réserve de bouse de yack séchée qui nous sert de combustible.

Quand le ménage est terminé, nous allons porter les seaux de suie dans les champs, de l'autre côté de la rivière. C'est alors que commence notre quête d'objets précieux. Comment se fait-il que nous puissions espérer trouver des objets précieux dans des champs fertilisés à la suie ? Autrefois – peut-être cela se pratique-t-il encore aujourd'hui, mais grand-mère nous en parle comme d'une pratique ancienne –, les gens avaient l'habitude de cacher au-dessus des poutres leurs objets de valeur. Parmi ces objets, figuraient les

173

osselets avec lesquels nous jouons au *tighi*, mais dont on fait aussi des colliers que l'on accroche dans la maison. Avec le temps – la fumée et la suie –, les osselets prennent toutes sortes de belles couleurs brunes. Quand les gens possédaient des morceaux d'or, de cuivre ou d'argent, ils les travaillaient et les incrustaient dans ces petits os, pour en faire des pendeloques décoratives. On pouvait aussi les porter sur soi en collier, comme la déesse Pelden Lhamo, qui porte un collier de têtes de mort. Nous n'avons pas de têtes de morts, alors les osselets en tiennent lieu. Ces petits os de chèvre ou de brebis font l'objet d'un grand trafic avec les enfants de nomades. Nous allons les trouver dans leur campement à cinq cents mètres du village, au bord de la rivière, et leur échangeons des os contre un peu de *tsampa* volée à la maison. Si ces simples os de brebis revêtaient une telle valeur à nos yeux, c'est parce que nous sommes bouddhistes, et même si nous adorons la viande, nous ne tuons pas volontiers les animaux. Ces osselets ont donc une grande valeur ludique et symbolique.

Le grand nettoyage terminé, le vingt-neuvième jour du mois précédant le premier mois de l'année est un jour de grandes ripailles. Grand-mère a préparé une grande soupe, le Goutoup Thugpa.

— Cette soupe, m'explique-t-elle, doit toujours être garnie de petites boules de pâte de formes différentes ou encore d'objets divers que j'enroule dans la pâte : un morceau de piment signifie bavard, un morceau de sel, paresseux, un petit caillou, obstiné, un petit pois, avare, une cordelière nouée vers l'extérieur, têtu, un brin de laine, actif, serviable. Une crotte d'animal est signe de chance. Certaines boules revêtent une forme particulière, d'autres renferment une « surprise » révélatrice de ce qu'a été l'année pour celui qui la trouve dans son assiette. Celui qui tombe sur un pâton en forme de soleil est courageux, en forme de lune, sage, en forme de livre, pieux et intelligent.

Chacun des membres de la famille reçoit une boulette de pâte de farine d'orge qu'il se passe sur tout le corps. À la fin, il doit serrer la boulette énergiquement pour qu'elle porte la trace de ses cinq doigts. Cette boulette, *drilu*, est chargée de porter la maladie à notre place. Dans une assiette, on place une bougie ainsi qu'un petit bonhomme en pâte, sorte de petit démon qui se chargera de tout le mal dont on veut se débarrasser, et on dispose autour de lui neuf objets différents, des objets utiles à la vie quotidienne : petit morceau de tissu, de cuir, de laine, de coton, de viande, quelques grains d'orge. Chacun pose sa boulette dans l'assiette.

— Attention, Nyiko, reprends ta boulette, on ne voit pas tous tes doigts !

Ensuite, tout le monde sort dans la nuit en portant une torche allumée. En tête, un membre de chaque famille tient solennellement l'assiette destinée aux esprits en poussant de grands cris qui résonnent dans la froide nuit d'hiver :

— Démon, va-t'en, maladie, va-t'en !

Nous nous éclairons avec des torches de paille imbibée de graisse de yack. Tous les villageois – excepté les porteurs de torches ou d'assiettes – tapent dans leurs mains, ce qui est d'habitude très mal vu. Mais cette fois, nous nous adressons aux démons et il faut absolument leur faire peur en leur montrant que nous sommes mal élevés.

Tapant des mains, criant, dansant, les villageois se dirigent vers un carrefour. C'est là que se rencontrent les génies maléfiques, auxquels nous allons ajouter ceux que nous transportons dans nos assiettes. Nous posons celles-ci au pied d'une sorte de hutte en paille, puis nous commençons à lancer des pétards primitifs, fabriqués avec le phosphore des allumettes, tout en haranguant les esprits.

— Va-t'en, va-t'en de l'autre côté de la mer. Nous t'avons apporté plein de cadeaux pour ton voyage !

Les pétards maison peuvent être dangereux. Peljorpa, un des fils de la famille Yasumpa, a rempli une boîte de conserve de poudre et allume une mèche. Il a l'intention de lancer sa grenade sur le bonhomme de paille pour y mettre le feu, mais, malheureusement, il est tellement saoul qu'il reste planté là, avec la mèche qui se consume, sans penser à lancer son projectile qui finit par lui exploser à la tête. Le pauvre poivrot se retrouve couvert de sang et d'éclats de ferraille qui lui sont rentrés dans la chair. Mon grand frère Choto se charge de l'emmener à l'hôpital du district dans une charrette. Le malheureux hurle de douleur au moindre cahot, et comme la route n'est évidemment pas goudronnée, il y a plus de bosses que de plat !

Maintenant, tout le monde a hâte de rentrer pour manger la soupe. Mais Choto est parti et il faut l'attendre. Enfin, un villageois se décide à mettre le feu au bonhomme de paille et la nuit s'embrase, pendant que les démons rentrent chez eux. Adieu les mauvais esprits ! Les cris redoublent, mais cette fois ce sont des cris de joie qui remplissent l'immensité nocturne. Les villageois qui possèdent encore des vieux fusils à mèche dans lesquels on tasse la poudre tirent quelques coups. Après cette apothéose, chacun rentre chez soi, réjoui à l'idée de manger une bonne soupe chaude.

J'ai l'esprit uniquement occupé par cette soupe qui nous attend. Quand Choto rentrera-t-il ? Enfin, le voilà.

Le pauvre Peljorpa a été pris en charge par l'hôpital, qui va sans doute le faire transporter à Lhassa. Peljorpa, la belle affaire. Que les diables l'emportent! À la soupe!

C'est Ama-la qui sert la soupe. Personne ne songerait à lui disputer cette prérogative. La grande casserole trône au milieu de la table, et chacun a son bol de terre ou son quart en alu (une innovation importée par les Chinois) posé devant lui. Nous prononçons d'abord quelques prières très courtes, mais qui nous paraissent interminables :

À celui qui donne la nourriture,
À celui qui est illuminé,
À celui qui nous conduira sur le chemin du
*   bonheur,*
Avec lui, je partagerai le meilleur de cette nour-
*   riture !*

Ama-la plonge enfin la louche dans la casserole et nous sert les uns après les autres, dans un ordre immuable : le père d'abord, puis les frères par ordre décroissant d'âge. Veinard de Choto! Puis arrive le tour des femmes, en commençant par Mo-la, qui a préparé la soupe et nous regarde d'un air fier et rieur. Cette soupe, nous allons la manger avec les doigts, voracement, comme des affamés. Après les prières, le silence s'établit. Les Tibétains ne parlent pas en mangeant, mais, quand nous aurons tous fini notre bol, ce sera une autre histoire. Ama-la a distribué à chacun, au hasard, un des objets préparés par Mo-la dans la soupe. Malheur à moi, je tombe sur un gros grain de sel, ce qui signifie que j'ai été paresseux cette année. Les commentaires vont bon train. Nyiko trouve la baratte des nomades. Il est donc un peu nomade lui-même, un peu solitaire, un peu sauvage. C'est ainsi

177

que, par la magie de la cuisine de Mo-la et de la louche aveugle d'Ama-la plongée dans le liquide bouillant, chacun peut savoir quelles ont été ses vertus et ses défauts principaux au cours de l'année passée, et s'inspirer de cet oracle pour l'année à venir.

Une fois la cérémonie terminée, nous devrions aller nous coucher, mais grand-mère est intarissable. Elle veut à tout prix nous raconter une histoire avant que le feu s'éteigne. Nyiko et moi sommes ravis de cette prolongation inespérée.

Mes enfants, écoutez l'étrange histoire de Langdarma, le roi cruel qui régna autrefois sur notre pays. Il y a mille et quelques années, vivaient au Népal une femme et ses trois garçons. Tous trois avaient opté pour une religion différente : l'un était jaïn, l'autre hindouiste et le troisième bouddhiste. À son grand désespoir, ils ne cessaient de se disputer sur des points de doctrine. Leur mère décida alors de les envoyer dans la montagne à la rencontre d'un célèbre yogi, qui devait pouvoir les départager. Les trois garçons se mirent en route et parvinrent à la grotte où méditait le saint homme. Celui-ci n'hésita pas une seconde avant de leur répondre. Il est vrai, leur dit-il, que l'hindouiste a en ce monde une vie plus facile et plus heureuse, et que le jaïn travaille à sa propre félicité. Mais le bouddhiste travaille pour le long terme. Il cherche à atteindre l'illumination pour lui-même, mais aussi pour les autres, et les mérites qu'il accumule ainsi lui permettent d'atteindre plus tôt le nirvana.

Convaincus, les deux frères jaïn et hindouiste devinrent bouddhistes et décidèrent de construire un *stupa*. Leur mère, ravie de cette belle harmonie, décida de demander au roi du Népal de lui céder un terrain de la taille d'une peau de vache pour y édifier un sanctuaire destiné à abriter une relique du Bouddha. Le souverain, ricanant sous cape, accéda bien volontiers à son désir. Mais les trois frères, devenus solidaires, avaient bien réfléchi avant de suggérer cette idée à leur mère. Ils se mirent à découper la peau de la vache en très fines lanières afin de délimiter un immense périmètre sur lequel édifier leur *stupa*. Le roi, berné, mais bien obligé de tenir parole, leur céda le terrain. C'est ainsi que fut édifié l'énorme *stupa* de Bodnath au Népal. Du haut du *stupa*, aujourd'hui encore, les grands yeux étirés de Bouddha semblent rire de la supercherie.

Cependant, les trois frères, abîmés dans leurs prières et dans la contemplation de leur œuvre, avaient complètement oublié le buffle qui avait transporté tous les matériaux nécessaires à la construction de l'édifice. Or, le buffle se mit à réfléchir : « Si ces garçons sont constructeurs, moi, je serai destructeur, et je demande à me réincarner en homme. »

Dix ans plus tard, naquit au Tibet un enfant qui allait devenir un roi de sinistre mémoire, Langdarma, et n'était autre que la réincarnation du buffle. Dès sa naissance, sa mère s'aperçut qu'il portait sur la tête une petite corne, et sur son derrière un embryon de queue. Elle l'habilla aussitôt de langes et coiffa ses cheveux en chignon pour que nul ne s'aperçoive de ces attributs malséants. Dès son accession au trône, celui-ci entra en lutte contre le bouddhisme naissant (au IXe siècle). Les moines furent persécutés, massacrés, et les monastères détruits. Il n'était rien qu'il n'entreprenne pour éradiquer la religion fraîchement arrivée de l'Inde. Langdarma alla jusqu'à inventer le test du coup de bâton pour savoir si une sainte image devait ou non être détruite : on frappait la statue d'un coup de bâton : si elle émettait une protestation, c'était une bonne statue, elle serait sauvée. Si elle restait muette, on la détruirait aussitôt. On n'entendit que peu de protestations…

Langdarma devait absolument garder le secret de la corne héritée du buffle mécontent. Aussi la jeune fille que l'on chargeait de lui laver les cheveux et de le recoiffer était-elle mise à mort aussitôt achevé son travail. Mais un beau jour, la jouvencelle chargée de cette tâche laissa échapper une larme qui roula sur le front du monarque tandis qu'elle faisait son chignon. Le roi se retourna, étonné :

— Pourquoi pleures-tu ?

— Je sais que je vais mourir, n'est-ce pas une raison pour pleurer ?

Un sentiment nouveau s'empara de Langdarma. Pris de compassion, il dit à la jeune fille :

— Si tu jures de ne jamais révéler à personne le secret que tu as découvert, je te laisse la vie sauve. Mais si jamais tu en dis un mot à qui que ce soit, je te massacrerai impitoyablement.

La jeune fille, trop heureuse, jura tout ce que voulait le souverain, et se tut durant plusieurs années. Puis un beau jour, n'y tenant plus, obsédée par son secret, elle se pencha jusqu'au sol pour le confier à un trou de souris. Jusqu'ici, rien de grave. Mais voilà qu'un bambou prit racine dans le trou, et qu'un berger, qui passait par là, coupa le bambou pour s'en faire une flûte.

Le berger, pourtant habile musicien, s'étonnait. Chaque fois qu'il prenait sa flûte, au lieu de jouer la douce musique habituelle, celle-ci lui murmurait : « Le roi a une corne de buffle sur la tête », ou encore : « Sur la tête du roi, il y a une petite corne. »

Certains racontent que ce berger, Palgyi Dorje, n'était autre que l'incarnation d'un dieu. Toujours est-il qu'il possédait comme unique bien un magnifique cheval blanc. Conscient de la mission qu'il devait remplir, Palgyi Dorje organisa un stratagème. Il couvrit de suie son cheval blanc et se revêtit d'un grand manteau noir doublé de blanc, aux larges manches, et d'un grand chapeau noir. On devait célébrer prochainement une grande fête au cours de laquelle la danse sacrée des chapeaux noirs serait exécutée devant le roi. Sous son grand chapeau, Palgyi Dorje cachait son visage, et dans ses larges manches, un arc et des flèches. Au moment où la fête battait son plein et où la danse se faisait plus lente, il banda son arc, visa le roi et le tua d'une flèche en plein cœur. Puis il bondit sur son cheval, galopa jusqu'à la rivière et y plongea. Son cheval en ressortit blanc comme neige. Il retourna alors son manteau et s'enfuit dans la montagne.

Le Premier ministre envoya des hommes à sa recherche, jusqu'à l'ermitage d'un vieux yogi.

— Avez-vous vu un homme en noir sur un cheval noir ?

— Non, absolument pas, mais j'ai vu un homme en blanc sur un cheval blanc.

Le ministre posa la main sur le cœur du yogi et s'aperçut qu'il battait très vite. Il comprit que le yogi avait bien vu le meurtrier, mais réfléchit qu'en fin de compte le pays aurait tout intérêt à être débarrassé de ce prince cruel et irréligieux.

Depuis ce temps, au Tibet, quand on enlève respectueusement son chapeau, cela signifie : « Voyez, je n'ai pas de corne. » Puis, en s'inclinant, on pose la main sur ses fesses : « Voyez, je n'ai pas de queue. » Enfin, on tire la langue : « Voyez, je n'ai pas la langue noire. » Tout ceci signifie : « Je ne suis pas un diable, vous pouvez me faire confiance[1] ! »

---

1. Dans le Tibet actuel, les vieilles femmes vous saluent encore souvent en tirant la langue.

C'est ainsi que les serfs saluaient autrefois le seigneur qui passait : langue tirée, buste incliné et chapeau à la main.

*

Grand-mère a fini son récit. Nous voici un peu plus éclairés sur notre histoire. Nous allons nous coucher la tête pleine de rêves, certains que nous avons bien fait, ce soir, de chasser les démons.

Le lendemain, nous nous réveillons un peu moins enthousiastes que la veille. Cette journée sera consacrée à la purification. Ce n'est pas un bien grand lavage, mais quand même. Après la maison, c'est nous qui devons être propres pour aborder la nouvelle année.

Nous nous lavons les cheveux, le visage – très sérieusement – et les mains. L'eau est très chaude, mais il faut racler la crasse avec un couteau ou une pierre et du savon fait de racines écrasées. Nous ne supportons pas l'odeur du savon chinois. Ça ne va guère plus loin, car il ne faut pas oublier que nous sommes en hiver et qu'il n'est pas question d'aller s'ébattre dans la rivière. Les femmes se font faire de belles coiffures, et l'épouse de mon oncle est venue tresser les cheveux d'Ama-la avec des fils de laine enduits de beurre fondu. Le nombre d'or à respecter selon la coutume des nomades est de cent huit nattes. Ensuite, elles se couvrent le visage d'un mélange de fromage et de miel. Quant à nous, les enfants, on nous rase le crâne pour faire disparaître les poux, fidèles compagnons de l'année. C'est aussi ce jour-là que papa renouvelle sur les poutres de la maison les dessins faits de petits points de farine d'orge, appelés « décoration des étoiles », qui protégeront notre maisonnée pendant l'année à venir : un parapluie, deux poissons, une fleur de lotus, une vache et une conque.

Enfin, le premier de l'an arrive. Nous sommes habillés de neuf et allons porter le *chang* et la *tsampa* à nos parents. Nous commençons par réciter à notre père un petit poème en l'honneur du nouvel an : *Tashi delek, Pusom so, Ema bakhtu kukamsar, Pende dowar, troparchong,* :

> *Joyau de bonheur*
> *Trois joyaux rassemblés,*
> *Je vous souhaite bonne santé*
> *Et tous mes vœux de bonheur.*

Chotil boit un peu de *chang*, puis il lance trois fois en l'air, d'une pichenette, une pincée de *tsampa* en récitant une prière. Ce geste d'offrande s'adresse aux trois joyaux du bouddhisme : *bouddha, dharma* et *sangha*[1]. Nous, les enfants, quittons alors la maison pour faire la tournée du village en frappant à toutes les portes. À chaque fois, c'est la même scène : nous récitons notre poème, et recevons en échange quelques bonbons. Puis nous rentrons à la maison où nous attend encore une soupe spéciale, à base de *chang* et de fromage, accompagnée de beignets en forme d'oreilles d'âne, de serpent et de scorpion. Mo-la a soigneusement décoré le bord de nos bols de dessins faits avec du beurre, qui représentent des symboles propices qui nous protégeront tout au long de l'année. Nous n'oublierons pas de poser devant la porte, dans une assiette, quelques-uns de ces beignets pour nourrir les esprits qui traînent encore dans les parages et nous assurer leurs bonnes grâces. Le

---

1. *Bouddha*, le maître, *dharma*, son enseignement, et *sangha*, la communauté des moines.

serpent est symbole de richesse, et le scorpion d'agressivité.

Chotil monte sur le toit pour faire brûler quelques branches de genévrier en l'honneur des dieux et renouveler les *longtas*[1], qui ont fait leur réapparition depuis la mort de Mao. Le genévrier est un arbre sacré, qui pousse en abondance sur la montagne où se dresse le monastère de Reting, à quelques kilomètres de Pomdo. Les arbres sont rarissimes sur nos montagnes, et Mo-La m'a raconté que cette forêt avait subitement surgi des poils d'Atisha, le fondateur du monastère. À Reting, on brûle le genévrier dans des fours en forme de pain de sucre, comme dans les foyers qui en possèdent un. La plupart des familles se contentent d'un petit feu sur le toit de la maison, devant un tas de pierres qui représente le génie protecteur de la maison.

Atisha, un personnage considérable dans l'histoire du bouddhisme, est venu de l'Inde au Tibet, trois siècles après l'introduction du bouddhisme par Padmasambhava. Il retravailla les traductions des livres saints et leur restitua leur sens original. Puis il fonda l'école Kadampa, et son monastère fut plus tard assimilé par les Gelukpa, l'école du dalaï-lama lui-même. Ces deux écoles ont en commun le respect de la discipline et le sérieux des études monastiques. J'ai toujours aimé les controverses entre moines. Elles permettent de progresser. Le dalaï-lama montre une aisance et une supériorité évidentes dans ces joutes verbales. Celui qui provoque le débat est assis par terre. Son adversaire réfute la thèse, lance des critiques, conteste, debout en face de lui. Plusieurs gestes ont des significations précises : haussement

---

1. Drapeaux de prières, voir note page 89.

d'épaules, mains frappées, chapelet brandi. À chaque question posée, il frappe violemment du pied et pousse un cri, tout en tapant de sa main droite la gauche étendue devant lui. Si le moine debout détecte une grave erreur, il fait tourner son chapelet plusieurs fois autour de la tête du coupable assis devant lui. Tout cela constitue un joli spectacle, auquel on peut à nouveau assister aujourd'hui chaque après-midi au monastère de Sera, près de Lhassa. Deux supérieurs du monastère de Reting furent régents du Tibet pendant la minorité du dalaï-lama. Le monastère fut en grande partie détruit par les gardes rouges, mais le site conserve un charme exceptionnel. C'est l'un de ces hauts lieux de l'esprit où l'on se sent plus proche de l'Éveil. Je suis très fier de venir d'un village situé dans cet espace privilégié qui était déjà un lieu d'inspiration pour les chamans avant la construction de ces monastères.

En cette journée sacrée, nous ne devons prononcer aucune mauvaise parole, et nous restons en famille à nous régaler de *momos*[1]. Le soir, tout le village se réunit autour d'un grand feu, tandis que les enfants jouent à cache-cache. Le grand jeu, un peu facile, consiste à attraper « grosses couilles », qui court moins vite que tout le monde.

Au matin, les filles sont allées chercher de l'eau à la rivière, dans une cruche en terre ornée d'un *khata*. Elles ont déposé des beignets sur la rive en offrande aux esprits de l'eau. Avant de remplir leur cruche, elles ont pris une louche d'eau et l'ont versée sur la glace en disant :

— Merci, Nagar (l'esprit de l'eau) de ne pas avoir laissé notre vie se dessécher.

---

1. Les *momos* sont les raviolis chinois, le plus souvent farcis à la viande.

À la maison, le réservoir dans lequel elles déversent le contenu de la cruche, vidé et récuré à l'occasion du nouvel an, est lui aussi entouré d'un grand *khata* blanc.

À la maison, grand-mère a disposé autour de l'autel des ancêtres sept bols contenant de l'eau parfumée (symbole des fleurs), des lampes à beurre (symbole du feu), de l'encens (symbole de la nourriture des dieux), *meto, trikine, dopo, chou, mé...* Ce jour-là, il est préférable de ne pas faire de mauvaises rencontres : mendiant, bol vide, homme en train de jurer, homme en colère ou vêtu de haillons ou de vêtements crasseux...

La municipalité a tenu à participer à ces festivités traditionnelles : dans l'enclos, en bas du village, de l'autre côté de la route, on a dressé des tentes où l'on mangera la soupe arrosée de *chang*, qui a été préparée pour tous les habitants. On a même tué un yack pour qu'elle soit plus riche. Dans un grand chaudron, l'énorme soupe mijote. Deux cents convives ! Tout le monde se précipite, jusqu'aux vieillards tremblotants qui ne sortent plus jamais de chez eux. Chacun a apporté le plus grand bol qu'il possède : il y en a de toutes sortes, en fer, en terre, en bois. Moi, je dispose d'un bol en terre, plus gros que ma tête. Une fois rempli, il est trop lourd, je n'arrive pas à le porter. Je le pose sur mes genoux et commence à manger. Mais le bol est plus gros que mon ventre, et je n'en avale même pas la moitié.

Autour de moi, les gens attrapent les morceaux de viande qui flottent dans la soupe. En cachette, avec leurs dents, ils en extirpent le jus et les enfournent dans leur poche. Je fais comme eux. Malheureusement, mon vêtement est plein de trous et tout le monde me regarde et rit en voyant tomber les morceaux de viande. Des fonctionnaires hargneux m'invectivent, parce que c'est interdit d'emporter la viande chez soi. La soupe doit être consommée sur place. Mais je ne tiens pas compte de l'interdiction et emporte à la maison mon bol à moitié plein, que je verse dans une casserole pour le jour suivant.

Il reste encore une journée pour célébrer le début de l'année. Le lendemain du jour de l'an doit être consacré à son meilleur ami. À l'époque, le mien est Nonorpa (morceau de joyau), mon copain d'école. On s'offre de petits cadeaux : une vieille chemise, un pantalon tout déchiré chipé aux militaires. Les familles s'invitent les unes chez les autres et le *chang* coule à flots.

Hélas, les parents de Nonorpa ne tiennent pas trop à ce que je fréquente leur fils. Ils craignent qu'il n'adopte mes mauvaises habitudes, même si les gens du village respectent mon père, qu'on appelle « le professeur ». « Comment se fait-il, murmure-t-on, qu'un tel diable soit né dans une famille aussi respectable ? »

Mais moi, sans aucun scrupule, je profite de la réputation paternelle pour récupérer autant de bonbons que possible. Les enfants me supplient de les laisser tranquilles en échange de petits cadeaux. Ceux qui ne m'en donnent pas, je leur mets des lézards dans le dos.

Enfin, les festivités se terminent, et la vie reprend son cours. Nous revêtons alors nos vieux vêtements et reprenons les vieilles habitudes.

13

HISTOIRES D'AMOUR...

Puisque vous êtes venus en accord avec les paroles de vérité, dites-nous : Qui attrape le yack sauvage par les cornes ? Qui saisit le tigre de sa main ? Qui attrape l'eau au lasso ? Qui construit un château de sable ?

Celui qui attrape le yack sauvage par les cornes, c'est Magchen Rampa. Celui qui saisit le tigre de sa main, c'est Saya Pechö. Celui qui capte l'eau au lasso, c'est le yaksa Zhongthog. Celui qui construit des châteaux de sable, c'est l'oiseau Kara Kugti.

Extrait d'une joute oratoire entre garçons et filles avant la cérémonie du mariage[1].

---

1. Ce type de défis ou joutes intellectuelles est très populaire au Tibet et n'est pas sans rappeler les « débats » des moines dans la cour des monastères, qui se résument souvent en fait à un contrôle des connaissances. Ici, il s'agit de chants rituels entre filles et garçons, qui peuvent faire partie du rituel des fêtes du nouvel an ou du mariage. Un groupe de filles barre la porte d'entrée de la maison de la fiancée et interroge les représentants du fiancé.

Parfois, je me dis que, dans la tradition, il n'y a pas que du bon. Ainsi, quand mes parents veulent marier de force Nyiko, mon frère chéri, mon compagnon et conseiller, bon ou mauvais, selon les jours, mais toujours fidèle.

Un jour, Ama-la et Pa-la apprennent à Nyiko qu'ils lui ont trouvé une femme dans un village assez éloigné du nôtre. Nyiko, qui ne l'a jamais vue, reçoit cette nouvelle comme un coup de massue et, le soir même, alors qu'il est couché à côté de moi, il m'annonce son intention de s'enfuir de la maison. Sur le moment, je ne le crois pas, mais, le matin, au réveil, je suis bien obligé de constater qu'il n'est plus là. Nos parents le cherchent partout. Je m'enfuis moi aussi pour le retrouver, mais nous sommes tous deux rattrapés et Nyiko doit finalement partir vivre avec sa femme, loin de nous.

De toute façon, les histoires de couples ne me paraissent jamais très réjouissantes. Un jour, une de ces histoires tourne même à la tragédie. Phelma, la fille du responsable des punitions (celui qui, une fois par semaine, met un bonnet pointu aux anciens propriétaires et leur fait battre la coulpe en public), est, contrairement à son père, une fille très douce, qui ne ferait pas de mal à une mouche. Elle a dix-sept ou dix-huit ans quand elle tombe amoureuse d'un électricien de la centrale. Mais le punisseur en chef est hostile à ce mariage et interdit aux jeunes gens de continuer à se fréquenter. Un beau jour, on les trouve tous les deux allongés sur le lit de Phelma, un pot de DDT[1] à leur côté. Les deux malheureux ont dissous tout le contenu du pot dans une théière et se sont empoisonnés avec cet horrible breuvage. Elle est dans le coma

---

1. Insecticide toxique pour les animaux à sang chaud.

et ne survivra que quelques heures. Son ami est en très mauvais état, mais on réussit cependant à le sauver.

Tout de suite, les fonctionnaires enquêtent sur l'origine du pot de DDT. Deux vétérinaires habitent le village : mon père, vétérinaire du peuple, et le vétérinaire responsable des bêtes de la commune. Aussitôt, tout le monde me soupçonne d'avoir volé le DDT à mon père pour le donner, ou pire pour le vendre, au jeune couple. Ce DDT rend de grands services aux villageois qui s'en servent pour tuer la vermine qui pullule sur le dos des yacks et des moutons, et asperger leurs *choubas* de temps en temps. Heureusement, le jeune homme n'était pas mort, et quand il est revenu à lui, il a tout de suite déclaré que Phelma avait demandé le poison au vétérinaire municipal pour chasser les poux de ses vêtements. Comme elle était fille d'un fonctionnaire très respecté, il n'a eu aucun soupçon et lui a donné ce qu'elle demandait. Si cela avait été moi, le châtiment aurait été terrible. Mais lui, évidemment, il n'a écopé que d'une petite réprimande de rien du tout.

De toute façon, cette histoire m'a profondément attristé. C'est la première fois que j'entendais parler de suicide et, jusqu'ici, je n'avais jamais pensé qu'on pouvait se tuer autrement que par accident.

L'histoire de Nyiko et de son mariage forcé m'a elle aussi rempli d'une telle tristesse que je ne mange rien de toute la journée. Le lendemain, grand-mère m'emmène au sommet de la montagne du Lion des neiges. Là, nous nous asseyons, face à l'est. Mo-la allume un petit morceau d'encens et se met à prier.

J'essaie d'écouter ses prières. Je la vois bouger les lèvres mais je n'entends rien. Elle marmonne dans sa barbe. Personne à l'horizon. Au bout d'un moment, Mo-la me caresse la tête en disant :

— Akönpa, tu commences ta vie sur la terre. Tout le monde désire le bonheur, et personne ne souhaite la souffrance. Regarde, mon petit-fils, regarde les montagnes. Elles sont le témoin de nos vies, de tout ce qui se passe dans les vallées. Écoute bien, mon petit, les récits de notre vallée mystique, mystérieuse et splendide, sillonnée de mille rivières. Écoute encore cette histoire, qui, comme toutes celles que je te raconte, parle de la vie des hommes et de tout ce qu'il y a de sacré dans la nature.

Il y a très longtemps, dans la vallée, non loin de mon village, un puissant roi régnait sur un royaume très riche. Ce roi s'appelait Bonag (d'après le nom de la religion du Tibet avant l'introduction du bouddhisme). Il avait une épouse officielle, Tinang (nuage noir) et de nombreuses concubines. Ses sujets se comptaient par centaines de milliers, presque tous paysans ou nomades. Il envoyait souvent des émissaires au loin pour commercer avec les pays étrangers. Le roi et la reine ne pensaient qu'au plaisir et à la richesse, et ne se préoccupaient pas de l'avenir. Ils n'avaient aucune compassion pour leur peuple. Bonag avait pour habitude de faire enfoncer un pieu dans la tête de ses serviteurs à la moindre incartade, ou de les dépouiller de leurs vêtements avant de les empaler sur un bâton aiguisé. Leur corps était ensuite exposé au bord de la route jusqu'à ce qu'il tombe en poussière.

Mais, comme tous les hommes, ce roi cruel finit par vieillir et s'inquiéta de ne pas avoir d'enfant. Il se sentait seul, et souffrait dans son corps et dans son âme. Il rassembla alors tous ses ministres et leur demanda de trouver une femme qui soit capable de lui donner un enfant. Il fit exécuter toutes ses concubines sous prétexte qu'elles étaient stériles. Son Premier ministre lui répétait tous les jours que, pour lui et pour le pays, il se devait d'avoir un héritier. Les ministres prirent peur et parcoururent tout le pays à la recherche de paysannes susceptibles de donner un enfant au roi.

Un jour, alors qu'il se promenait à cheval, accompagné de ses serviteurs, le roi entra dans un pauvre petit village et se trouva environné d'une nuée d'enfants qui jouaient dans la rue. Il descendit de cheval et se précipita sur eux, en prit un dans ses bras et regarda à droite et à gauche.

— Petit, dis-moi, où est ton père?

L'un de ses serviteurs dit alors :

— Maître, c'est mon fils.

— Ton fils est très beau, dit le roi. Quel âge a-t-il?

— Sept ans, répondit le serviteur.

— Très bien, dit le roi. Aujourd'hui, tu te reposes, tu restes avec les enfants et ta famille. Viens me voir demain au palais, au lever du soleil, je te traiterai comme tu le mérites.

Le roi rentra chez lui très heureux, persuadé que son serviteur lui donnerait la clé de la réussite. Il était si content qu'il traita tout le monde avec la plus grande amabilité. La nuit lui parut interminable. Le lendemain, il attendit avec impatience son serviteur Lon Den. Pendant ce temps, celui-ci se demandait à quelle sauce il allait être mangé. Il avait peur. « Que va inventer le roi comme châtiment? » Il ne peut ni dormir ni manger. Les larmes coulent sur son visage. Il dit à sa femme de tendres paroles d'adieu.

Avant le lever du soleil, Lon Den partit en direction du palais. Il ne savait s'il devait craindre ou espérer, et pria toutes les divinités qui lui passèrent par la tête. Il arriva enfin au palais du roi. Bonag l'accueillit avec tous les honneurs, lui offrit un festin et le reçut dans ses appartements.

— Tu as un secret pour faire les enfants, lui dit-il. Donne-moi ce secret et tu seras magnifiquement récompensé.

Mais le serviteur rit en son for intérieur et se dit que ce roi était bête comme un canard.

— Seigneur, je n'ai pas de secret.

Le roi se mit en colère.

— D'ici trois jours, tu m'apportes la réponse. Je sais qu'il y a un secret. Si tu ne me le rapportes pas d'ici trois jours, je te fais couper la tête ! Maintenant, rentre chez toi et n'oublie pas : le secret ou la vie !

Lon Den marchait sur la route, la tête basse, en pleurnichant. Il ne voyait aucune solution. « Le secret, ou la vie ? Le secret ou la vie ? Quel secret contre ma pauvre vie ? » Il arriva à une maison toute délabrée où vivait un couple de vieillards. Il s'y arrêta pour se reposer. La vieille femme remarqua la souffrance de Lon Den.

— Qu'as-tu, pauvre homme, qu'est-ce donc qui te rend malheureux ? Un de tes proches est-il mort ?

Il lui raconta alors sa triste histoire.

Les deux vieux comprirent la situation. Ils savaient que le roi était sans enfant et sans pitié. Ils se sentirent pleins de compassion pour le pauvre serviteur, et rentrèrent dans la maison pour se concerter. La vieille dit :

— Si nous donnons notre fille au roi, beaucoup de gens seront sauvés.

Mais le vieux n'était pas d'accord. Il ne voulait pas donner sa fille.

— Tu sais très bien que notre fille est une réincarnation de la déesse. Nous ne pouvons pas la donner à n'importe qui. On ne mélange pas n'importe quelles racines. Sinon, elle ne vivra pas longtemps.

Mais la vieille insista tant et tant que le vieux finit par céder. Tous deux revinrent vers Lon Den. Le serviteur fut stupéfait d'apprendre que la vieille avait une solution.

— Il est temps de sauver toutes ces malheureuses. J'ai une fille cachée dans la forêt. Elle s'appelle Yu Drol (déesse de turquoise). Je ne voulais pas la donner au roi, mais puisque tu vas mourir, on peut tout de même lui demander si elle consentirait à l'épouser.

Lon Den se sentit soudain si heureux qu'il ne pouvait s'arrêter de les remercier.

— Ce soir, tu dormiras ici, et demain, avant le lever du soleil, nous partirons dans la forêt. Nous devons arriver au moment du lever du soleil.

Avant le jour, le vieux, la vieille et le serviteur, l'air réjoui, se mirent en route. Ils pénétrèrent dans la forêt. Au moment précis où le soleil se leva, ils arrivèrent à hauteur d'une cabane magnifique, en forme de papillon, environnée de milliers de fleurs, de roseaux et d'arbres splendides, parmi lesquels déambulaient des paons. Des cascades descendaient des montagnes environnantes jusqu'à un bassin magnifique. Cet endroit ressemblait au Paradis. Lon Den, fasciné par ce spectacle, regarda au loin et oublia ses malheurs. Il se mit à chanter :

Sur cette terre de beauté
Vit la déesse de turquoise.
Je ne pensais jamais arriver ici.
Mais me voilà, la chance m'y a amené, j'y suis.

La vieille s'écria :
— Nous voilà arrivés. Jeune homme, entre dans la cabane.

Lon Den regarda à droite et à gauche, et marcha sans savoir où il allait, le nez en l'air. Il aperçut alors une jeune fille d'une beauté extraordinaire. Son visage calme, au charme de pleine lune, était cerné de longs cheveux noirs. Son corps était comme un bambou.

« Ce n'est pas possible, un être aussi magnifique ne peut exister sur terre », se dit Lon Den.

Il tomba assis de stupeur, ébloui par cette vision. La vieille lui servit du thé dans un bol de bois en signe d'hospitalité. Puis elle exposa la situation à sa fille. Tout d'abord, Yu Drol lui opposa un refus catégorique. Mais sa mère lui dit que si elle persistait, des milliers de pauvres femmes mourraient par sa faute. Pleine de compassion pour le serviteur et pour toutes ces victimes à venir, la jeune fille finit par accepter de rencontrer le roi. Quant à Lon Den, il se demanda comment il allait pouvoir se décider à confier cette merveille à ce méchant roi. Il se dit qu'il préférerait cent fois la garder pour lui et pria alors la vieille de sortir avec lui de la cabane :

— Grand-mère, vous avez une fille merveilleuse. Ne pourrais-je la garder pour moi plutôt que de la donner au roi ?

— Non, Lon Den, nous donnons notre fille pour sauver des vies, et la tienne avec. Comment veux-tu que nous te la donnions ?

Le serviteur mit alors un genou à terre et lui demanda pardon de son audace.

La vieille rentra dans la maison avec lui.

— Maintenant, nous devons faire les préparatifs pour partir demain au palais.

Le lendemain, ils se remirent en route avec la jeune fille, déguisée en mendiante. Lon Den était lesté de nourriture. La vieille pensait qu'il était dur de donner sa fille, et retournait sans cesse le problème dans sa tête. Mais toujours, elle revenait aux vies qu'il fallait sauver. Quand ils arrivèrent en ville, les habitants se regardaient en chuchotant. Une fois au palais, un serviteur se précipita pour prévenir le roi. Celui-ci vint au-devant de Lon Den.

— Lon Den, m'as-tu apporté ton secret ?

— Voilà mon secret, répondit-il en montrant la jeune fille à l'aide de son bras droit tendu.

Le roi était furieux. Il attrapa Lon Den par le col de sa veste.

— Cette mendiante ! Tu te moques de moi !

— Majesté, inutile de vous mettre en colère, dit alors la jeune fille en détachant son manteau de pauvresse.

Le roi la regarda, stupéfait, muet d'admiration. Ne sachant quelle attitude adopter, il prit Lon Den dans ses bras et le serra contre lui.

— Lon Den, tu es mon meilleur ami, mon protecteur – et il le couvrit d'amabilités et de compliments.

Pour la première fois, son cœur fut empli de tendresse. Il rassembla tous ses serviteurs et ses ministres, et les invita à une grande fête. Il donna aux deux vieillards et à Lon Den tout ce qu'ils souhaitaient, y compris la liberté.

Le roi lança aussitôt les préparatifs du mariage. Il invita les souverains des pays voisins. Il était sûr que la reine lui donnerait un fils. Il ne la quittait jamais, de peur qu'elle lui échappât. Un mois plus tard, le roi était si content d'apprendre que sa femme attendait un enfant qu'il ne pouvait parler d'autre chose. Il envoya ses hérauts à travers le pays donner des nouvelles de la grossesse royale. Les médecins du roi restaient en permanence auprès de la reine. Tout le monde en ville s'émerveillait de la transformation du roi.

Huit mois après les somptueuses fêtes de mariage, la reine se promenait dans le parc du château et s'assit au bord d'un bassin. Une feuille de lotus portée par le vent tomba sur ses genoux. Aussitôt, la reine pensa qu'elle donnerait à son enfant le nom du lotus : Pelma. Le lendemain, elle se promenait encore dans le parc quand, soudain, elle ressentit les premières douleurs. Sa servante courut prévenir le roi. Celui-ci se précipita, tout essoufflé.

— Est-ce un garçon ? haleta-t-il.

Il saisit l'enfant dans ses bras et vit qu'il s'agissait d'une petite fille. Pendant un moment, il pleura et se lamenta, désespéré. Mais il était en fin de compte si heureux d'être père que bientôt il ne sut plus s'il devait rire ou pleurer. Enfin, la joie l'emporta.

De splendides fêtes furent organisées à travers tout le pays pour la naissance de la petite princesse. Tous les ministres et les grands du royaume y furent conviés. Le roi décréta huit jours de liberté et de fête dans tout le pays.

Trois jours plus tard, un autre bébé naquit au palais. C'était le fils du Premier ministre. On l'appela Lo Nag (esprit noir). Le roi félicita sincèrement son ministre, un homme d'une famille noble, depuis toujours son ami et son conseiller intime.

Lorsque les enfants atteignirent l'âge de cinq ans, la jeune reine, atteinte d'un mal mystérieux, mourut après quelques jours de terribles souffrances. La petite princesse fut élevée avec le fils du ministre, et partagea tous ses jeux. Mais le garçon se montra vite brutal et égoïste. Il ne connaissait pas la compassion, alors que la petite princesse était tendre et affectueuse. Un jour, le roi surprit Lo Nag en train de battre la princesse. Il s'approcha :

— Pourquoi la battre ainsi ?

Lo Nag répondit :

— Maître, la princesse est tout le temps avec les mendiants et les pauvres, elle s'occupe d'eux et ne veut pas jouer avec moi.

Le roi, mécontent, réprimanda la princesse, l'envoya dans sa chambre et fit tuer ses petits protégés.

Dès lors, Pelma fut enfermée dans ses appartements. Jusqu'à ce qu'elle atteigne ses seize ans, elle ne sortit plus jamais du palais.

À cette époque, le ministre vint trouver le roi et lui dit qu'il était grand temps d'unir leurs enfants.

— Seigneur, ta fille est en âge de se marier.

— Penses-tu qu'elle soit assez mûre ? demanda le roi.

— Oui, il faut la marier pour le bonheur du pays.

Le roi le regarda avec colère, et le ministre recula, effrayé. Mais le roi se mit à rire :

— Ah ! ce ministre, c'est bien mon frère. Je suis d'accord, ma fille épousera ton fils.

Mais dans un coin de la pièce, un jeune ministre ne trouvait pas du tout qu'il s'agissait là d'une bonne idée. Il se rendit dans la chambre de la princesse et lui expliqua ce qui se préparait. La princesse était très triste. Elle ne voulait point du méchant Lo Nag.

— Je préfère mourir que de me marier avec lui.

Elle demanda au petit ministre Lo Tchung (petit cœur) de trouver pour elle le moyen de s'enfuir.

— Ce soir, lui dit-il, je t'attendrai sous ta fenêtre avec un cheval et nous partirons ensemble.

Le soir même, la princesse pria son père d'organiser un dîner dans ses appartements. Elle prépara ensuite son bagage et le cacha sous le lit. Tout en parlant avec son père, elle lui remplissait constamment son verre. Le roi s'endormit comme prévu et la princesse sauta par la fenêtre. Les deux jeunes gens s'enfuirent joyeusement vers le sud.

Pelma savait qu'en entrant dans la forêt profonde elle renonçait à sa vie de princesse tibétaine. Mais, au fur et à mesure qu'ils descendaient dans la vallée, vers le sud, il faisait de plus en plus chaud. Ils rencontrèrent des paysages et des plantes inconnus. Les jeunes gens tombèrent à demi morts de fatigue et de soif. Lo Tchung, qui avait toujours vécu en haute altitude, ne supportait plus la chaleur de la vallée et tremblait de fièvre. La princesse le fit asseoir sous un arbre et lui essuya le front en pleurant. Puis les deux jeunes gens s'endormirent dans les bras l'un de l'autre. Le lendemain, au réveil, la princesse s'aperçut que Lo Tchung avait quitté ce monde. Elle sanglota et comprit la souffrance de la mort.

Pendant ce temps, au palais royal, le roi constata la disparition de la princesse. Il la chercha partout et envoya des serviteurs aux quatre coins du pays. Trois jours durant, les recherches se poursuivirent. Bonag, qui commençait à se méfier de son Premier ministre, interrogea l'un de ses serviteurs :

— Tu sais certainement quelque chose ?

Le serviteur, terrorisé, se prosterna en pleurant :

— Majesté, ce n'est pas ma faute.

Il se décida alors à expliquer la cause de la mort de la reine. La jeune femme n'était pas morte de maladie, mais avait été empoisonnée par le Premier ministre qui ne voulait pas qu'elle ait d'autres enfants, pour être sûr que son fils hériterait du royaume. À ce moment, le roi, fou de rage, se rendit accompagné de sa garde au palais du Premier ministre, et se livra à un abominable massacre. Ministre, épouse, enfants, serviteurs, il ne resta rien de vivant en ce palais.

Le roi, à nouveau solitaire, s'enferma dans sa chambre et ne prit plus part aux affaires du royaume. Peu après, il tomba malade et mourut. Le pays n'avait plus de chef. Le désordre était complet. Les aspirants au trône se disputèrent jusqu'au moment où les rois voisins s'emparèrent des lambeaux du pays. Le royaume était désintégré.

De son côté, la princesse avait brûlé le corps de Lo Tchung et jeté ses cendres dans la rivière. Tristement, elle continua sa route et arriva bientôt dans une magnifique clairière, un véritable paradis – cascades, arbres, roseaux de toutes sortes, parcourue par des animaux sauvages : singes et ours, cerfs, oiseaux de mille couleurs et, au milieu, un petit lac peuplé de poissons multicolores. La princesse s'endormit au bord du lac. Elle rêva qu'un petit garçon s'approchait d'elle pour lui apporter des fruits. Elle fit ensuite un autre rêve : une panthère venait remplacer le petit garçon et la menaçait de ses crocs. Elle se réveilla en sursaut et se trouva entourée d'une foule de charmants petits ours qui s'ébattaient autour d'elle sans aucune crainte. Ils vinrent la regarder sous son nez, essayèrent de l'amuser, de la faire rire, et se serrèrent tendrement contre elle. Les petits ours proposèrent de l'adopter et de l'emmener dans leur grotte. Pelma décida de rester avec eux et de partager leur vie et les fruits dont ils se nourrissaient.

La princesse reprit des forces dans cette nature luxuriante et parvint à se consoler en retrouvant l'esprit de sa mère dans la fleur du lotus.

Cette vie paisible se poursuivit jusqu'au jour où le fils du Premier ministre, réincarné en tigre, et qui n'avait cessé de la chercher, s'approcha de la forêt où elle avait trouvé refuge. Le tigre sema la terreur et dévora tous les animaux.

Les ours, effrayés, se cachèrent au bord du lac sans oser partir chasser. Un jour, alors que la princesse était en train de se baigner dans le lac, se fit entendre au fond de la forêt le rugissement du tigre. Un cri terrible retentit au fond de la clairière. Le tigre avait saisi un ourson et commençait à le déchirer de ses crocs. La princesse sortit de l'eau et se battit contre le tigre pour lui arracher l'ourson. Mais elle fut incapable de lutter contre le monstre, qui la déchira à coups de griffe et finit par la dévorer, elle aussi.

Les ours se lamentèrent et pleurèrent pendant des jours et des nuits. À force de pleurer, leurs yeux devinrent tout noirs. Depuis ce temps, les oursons noirs et blancs demeurent dans la forêt profonde, entre la Chine et le Tibet. Ils ne se nourrissent que de bambous. On dit que les pandas, comme les tigres, disparaîtront bientôt. La fin de l'espèce est proche...

*

À ce moment-là, je comprends que la souffrance ne vient pas d'ailleurs mais de soi-même. Ce n'est pas en changeant de lieu que l'on trouve le bonheur. Je comprends aussi que mon village est un endroit important pour moi. Je demande alors à ma grand-mère où se trouve le château, théâtre de cette histoire. Du doigt, elle me montre les restes du palais du ministre :

— C'est lui-même qui l'a détruit. C'est lui qui a fait son propre malheur. Il est temps maintenant de redescendre pour voir si ta mère est rentrée à la maison.

Je prends la main de grand-mère et nous redescendons vers le village.

Quelques jours plus tard, on célèbre un mariage à Pomdo. Le promis est le fils d'une voisine de Tête de léopard, Namgyal Dolma. Stering Norbupa, son fils, qui a l'âge de Nyiko, est un de nos compagnons de jeu. Enfin, disons plutôt qu'il aime diriger la petite troupe des enfants de Pomdo et organise des défilés militaires en se donnant le rôle de chef de la milice. Stering est grand et fort, et nous bat volontiers si nous faisons mal l'exercice. Nous nous rebellons souvent et le traitons de tous les noms. Alors, le bâton s'abat sur notre dos.

Sa mère s'est mise en quatre pour lui trouver une femme. Mais comme personne ne voulait de lui à Pomdo ou dans les environs, elle est allée négocier le mariage dans un village de l'est. La malheureuse jeune fille ne souhaitait pas se marier, mais il a bien fallu qu'elle se plie à la volonté de ses parents. De toute façon, les filles font bien des manières et, en réalité, elles sont très contentes de se marier. Mais pour respecter la coutume, il faut qu'elles pleurent et qu'elles aient l'air terriblement malheureuses de quitter leur famille. À l'époque, je ne connaissais pas cette coutume et je crois que la pauvre fille se trouve vraiment au bord du désespoir. Son chagrin me paraît d'ailleurs bien compréhensible. Épouser Stering, quelle horreur !

Dans la maison de cette fervente communiste, le décor est constitué, comme chez tous les fonctionnaires, de portraits de Mao entourés de *khatas* blanches. Le jour du mariage, mi-traditionnel mi-chinois, des vases en terre cuite dans lesquels flottent quelques fleurs s'alignent devant la maison. Entre les vases, des petits tas de bouse de yack sont censés assurer le bonheur et la fortune des époux. D'ordinaire, pour les mariages, on accroche deux drapeaux de prière aux montants de la porte, mais chez Stering Norbupa, les drapeaux sont remplacés par des lanternes chinoises rouge vif.

En revanche, la mariée porte les habits traditionnels tibétains : une *chouba* noire en laine, un tablier à bandes colorées – qui désigne la femme mariée –, des chaussures modernes en cuir et un chapeau traditionnel tibétain en forme de fleur de lotus renversée.

Les gens de son village portent plusieurs *khatas* porte-bonheur autour de leur cou. Mais la mariée pleure à chaudes larmes, assise sur un coffre recouvert d'un tapis au côté de son époux triomphant. À propos des larmes d'une mariée, on dit aussi qu'elles chassent les mauvais esprits et qu'elles représentent un gage de bonheur pour le couple.

Comme pour tous les mariages, on a fait appel à un maître de cérémonie. Dans notre village, le dentiste joue souvent ce rôle parce qu'il dispose d'une belle voix et qu'il connaît bien les traditions. Lui seul a le droit d'entrer dans la chambre des futurs mariés le jour de la cérémonie. Il dessine sous le lit, avec de la farine, une sorte de *mandala* constitué de dessins géométriques. Quand les mariés entrent dans la chambre, ils font semblant d'ignorer leur présence. Pourtant, le lendemain, le maître du mariage vient vérifier si tout s'est bien passé. Si les mariés se sont suffisamment agités pendant la nuit, le *mandala* est détruit. S'ils sont restés trop sages, il reste intact. En quittant la chambre, il annonce à la famille que l'affaire est faite et bien faite, ou pas du tout. Dans ce dernier cas, la famille a le droit de reconsidérer la question…

Les invités de la noce défilent devant les mariés et déposent sur une table de modestes présents : chaussures, tabliers, pots de terre, bouteilles thermos (une invention des Chinois), pommes de terre. Les plus riches apportent une chèvre ou un mouton.

La mère de la mariée accueille les invités et donne des bonbons aux enfants, mais aussi des cigarettes, sans considération d'âge. La radio diffuse un mélange de musique tibétaine et de chants héroïques chinois.

À cette époque, dans les villages du Tibet, l'état civil n'existe guère. Les gens se marient de façon complètement informelle, en privé, et la cérémonie ci-dessus décrite tient lieu de mairie et de temple. Il suffit simplement que la chose soit dite : on est mariés, et tout le village le sait.

Voilà, le chef de la milice quitte l'enfance à jamais. On peut espérer qu'il ne nous torturera plus en nous imposant ses défilés. Peu de temps après, Stering héritera comme tout le monde d'un lopin de terre et de quelques têtes de bétail. Il n'a aucune expérience de l'agriculture et cherchera à se faire conseiller, notamment par mon père. Mais, poursuivi par sa mauvaise réputation, personne ne sera disposé à l'aider. Aussi, malgré son statut d'homme marié, je ne pense pas qu'il soit devenu un heureux père de famille.

14

... ET D'ÉVASION

Grue blanche dans le ciel,
Prête-moi tes ailes !
Je ne vais pas loin,
Juste à Litang et je reviens.

Chant du sixième dalaï-lama

Je dois avoir douze ou treize ans quand Makhopa et moi décidons de nous enfuir. Nous avons monté un plan avec Metipa, un bon copain. Nous avons discuté tout un après-midi, assis dans une grotte, loin du monde, échafaudant des projets d'avenir.

Le lendemain, nous partons vers midi. Chacun a fait une petite provision de farine d'orge volée ici ou là. Nous nous mettons bravement en route et quittons le village par le pont des Larmes du bétail, puis nous descendons dans la vallée du Nagar (nom d'une divinité à tête de serpent). Nous devons d'abord passer un col de cinq mille mètres. Heureusement qu'il fait beau ! Nous sommes tout joyeux, nous bavardons, nous ne nous disputons pas. Le vrai bonheur, déjà, et la promesse d'un bonheur encore plus grand pour la suite. En haut du col, nous nous écrions en chœur, selon la tradition : *Kikisoso ! La so, so lha ! Lhar Gyelo !* (Les dieux sont victorieux !), et nous déposons chacun une pierre sur l'un des cairns déjà présents. Nous sommes bien sûr les dieux, et la victoire est pour demain.

En redescendant dans une autre vallée, nous rencontrons un berger qui garde ses yacks et nous invite dans sa cabane. Hatopa nous demande où nous allons. Meti, peut-être le plus malin d'entre nous, répond aussitôt que nous sommes partis à la recherche d'un yack à tête blanche.

— Mais il n'y a pas de yack à tête blanche par ici ! répond Hatopa.

— Si, si, insiste Metipa. Mon père nous a envoyés chercher son yack qui est parti depuis deux jours.

Il n'a pas l'air de trop nous croire, mais enfin il est brave et nous donne un peu de *tsampa* pour la route. Parlera, parlera pas, si nous sommes poursuivis ? Pour l'instant, rien ne permet de le dire, mais plus tard, nous apprendrons qu'il a parlé.

Après deux ou trois heures de marche, nous arrivons à Ngarukuk, un village où Meti a une parente, une ancienne nonne. Nous lui demandons si elle peut nous héberger pour la nuit. Toujours la même rengaine :

— Où allez-vous ? Que faites-vous là ?

Encore une fois, nous craignons d'être dénoncés. Makhopa propose de filer, mais j'ai des ampoules aux pieds et n'éprouve aucune envie de continuer. Makhopa s'endort très vite pendant que la nonne poursuit son interrogatoire. Le lendemain, nous nous levons avant le lever du jour pour éviter de nouvelles questions, et nous filons avant le réveil de la cousine, à qui Meti a chipé un bon morceau de fromage.

Deux possibilités s'offrent à nous : un raccourci un peu difficile ou la grand-route. Nous choisissons la route pour faire du stop. Plusieurs tracteurs nous font faire un bout de chemin. Nous arrivons à environ trente kilomètres de Lhassa, et le tracteur nous pose auprès du lac sacré de Ganden Chogor.

Nous avons à peine le temps de nous arrêter pour nous reposer et contempler la nature qu'un homme à cheval, qui suivait le tracteur depuis quelque temps, se précipite sur nous.

— Allez, ouste, à la maison. Meti, ton père te cherche et m'a chargé de vous retrouver.

Il descend de cheval et nous attrape énergiquement par le col de nos *choubas*.

— Eh, là, toi, je ne te connais pas et tu ne me connais pas, laisse-moi !

Je gigote comme je peux et parviens à lui échapper.

Meti le repousse violemment et le voilà le derrière dans l'herbe.

— Sales garnements, vous allez voir la correction que vous allez prendre !

Et voilà Makhopa, qui a toujours le mot pour rire, qui s'en mêle :

— Hé, là, l'ancêtre, rentre chez toi, y'a ta femme qui t'attend et la soupe qui refroidit !

Nous voilà filant à nouveau sur la route. Le messager du père de Meti, dégoûté, fait demi-tour.

Nous recommençons à faire du stop et, au moment où un tracteur freine pour nous faire monter, voilà le père de Meti qui arrive lui aussi à cheval. Il se jette à terre, attrape Metipa par le col et lui file une volée de coups de bâton. Moi, je n'ai droit qu'à une gifle et Makhopa se couche au sol pour échapper aux coups. Nous marchons piteusement à côté du père de Meti qui est remonté sur son cheval. Meti fuit devant comme un lapin, et moi je marche à côté du cheval. Makhopa, un peu gros, traîne en arrière.

Alors, le père de Meti commence à nous raconter des histoires, et comme elles s'avèrent assez passionnantes, je n'éprouve plus tellement l'envie de me sauver, mais plutôt de l'écouter. Il fut un des héros de la résistance du temps de l'invasion chinoise. Avant, il faisait partie des troupes de bandits redoutées dans tout le Tibet.

Arrivés à proximité du village où nous avons dormi la nuit précédente, nous apercevons Nyiko en train de redescendre dans la vallée. Il était parti nous chercher avec le père de Meti, mais il s'est fait mal au genou et a dû rester en arrière. Dès qu'il me voit, il se jette sur moi pour me frapper, pensant sans doute que je n'en ai pas eu assez jusqu'ici. Il n'a pas tort.

Nous passons la nuit dans le village et nous mourons de peur d'être reconnus par la nonne que nous avons volée. Heureusement qu'elle habite à l'autre bout de la rue. Nous dormons dans la maison où le père de Meti a emprunté son cheval. Le lendemain, nous repartons en direction du col.

Nous sommes morts de fatigue et nos pieds nous font horriblement souffrir. Mais le père de Meti est devenu très gentil et accepte de s'arrêter un moment. Il commence à nous raconter l'histoire de ses combats contre les militaires chinois et nous montre un col où il a abattu deux soldats.

— Nous étions un groupe d'une trentaine de gars, tous des rebelles, tous originaires du Kham, planqués là dans la vallée. Dans le groupe, il y avait aussi Tseten Uko, que vous connaissez. Vantard, mais pas très courageux, celui-là ! En fait, c'était plutôt un boulet à traîner qu'une aide. Nous avons aperçu sur la crête deux types qui venaient vers nous. C'était des messagers de l'aimée et ils descendaient par la route. Alors, je suis monté à toute vitesse par le sentier, et dès que j'ai été au-dessus d'eux, je les ai tirés comme des lapins. Tseten Uko m'a rejoint, une fois tout danger écarté bien sûr. On a fouillé les deux types, sans succès. Alors on a brûlé leurs affaires et on leur a coupé la tête. On a monté les têtes jusqu'au col et on les a plantées sur des bâtons, au bord de la route, histoire de faire peur aux autres Chinois qui passeraient par là. Puis on est redescendus tout fiers – surtout moi ! – et on a dormi là, au pied de la falaise. Le lendemain, avant le lever du jour, on a fait chauffer de l'eau pour préparer du thé. Mais l'eau venait d'une sorte de marécage et quand le thé a été prêt et que le soleil s'est levé, on a vu des tas de crapauds et de bêtes bizarres dans nos bols. Peu de temps après, à l'occasion d'une autre embuscade, Tseten Uko a été pris par les Chinois, ce qui lui a valu quelques années de prison. Notre résistance aurait pu emporter la partie si les paysans des autres régions avaient suivi. Nous avions décidé de saboter tout le travail des Chinois, en faisant sauter les ponts, en leur dressant des embuscades et en nous cachant pour prendre par surprise les soldats isolés. Les Chinois appelaient la route venant de l'est vers Lhassa « la route de la mort ». Oui, nous, guerriers *khampas*, nous serions bien arrivés à arrêter les Chinois !

Tous ces récits passionnants nous mènent jusqu'à Pomdo, où nous arrivons à la nuit. Le père de Meti me salue devant la maison. Mo-la ne dormait pas et elle se jette sur moi :

— Tu es fou, tu veux nous faire tous devenir fous ! Tu es une malédiction, Akönpa.

À cette rengaine, je réponds aussitôt par une autre rengaine, que je connais par cœur et tout le monde autour de moi :

— C'est pas moi, grand-mère, c'est pas ma faute, c'est la faute de Makhopa et de Meti. Meti m'a raconté qu'il avait un oncle à Lhassa qui était parti en Inde. Il paraît que c'est le Paradis là-bas. Alors, bien sûr, on voulait y aller aussi !

— Où que tu ailles – et Mo-la reprend son air doux et tendre –, le plus beau pays est celui où tu es né. Si tu t'en vas dans un autre pays, ou même dans un autre village, tu devras refaire ta vie. C'est horrible de ne connaître personne, d'être transplanté. Le village où tu es né est le lieu où tu dois rester. Rappelle-toi l'histoire du coq et du vautour que je t'ai racontée.

Le lendemain matin, Ané fond sur moi pour me battre à son tour. Je lui dis que ça va, que j'ai déjà reçu assez de coups. Mais elle est énervée et on commence à se battre très sérieusement. Je tire comme un fou sur sa veste qui se déchire. C'est la première fois que je me bats vraiment contre une femme, et voilà Ané qui se met à pleurer. Alors là, je reste tout décontenancé. Ané, pleurer ? Voilà un spectacle très étonnant.

Nyiko a essayé de négocier notre absence avec le maître, mais nous sommes quand même punis quand nous retournons à l'école le lendemain. C'est la séance de gymnastique avec les haut-parleurs. Nous sommes interdits d'exercice et devons garder la tête baissée et les mains derrière le dos, comme des criminels. Nous allons ensuite nettoyer l'école et surtout vider les toilettes. Pour enlever les excréments, nous utilisons une boîte de conserve attachée à un bâton, puis nous allons verser le précieux engrais dans des seaux que nous portons à la palanche jusqu'aux champs de choux des militaires, tout près de l'école.

Bien sûr, à la souffrance et à la puanteur, s'ajoute l'humiliation, la pire étant celle des petits qui rigolent, lancent des plaisanteries grossières et nous font des signes grotesques. J'ai beau leur dire : « Demain, je te tue », rien n'arrête ces petits monstres.

Le lendemain, Makhopa et moi allons nous venger en volant des carottes dans le potager des militaires. Les carottes sont si énormes qu'une seule suffit à remplir la poche de notre *chouba*. Un autre jour, nous entrons dans la serre dédiée aux tomates. Je n'en avais encore jamais vu ni mangé. Quel régal, ces fruits rouges, ces jolies petites pommes, moelleuses et fondantes !

Nous nous en gavons, sans penser au lendemain, et, comme les tomates ne sont pas vraiment mûres (elles nous avaient quand même paru succulentes !), nous attrapons une colique de tous les diables. Nous allons donc consulter le médecin du village, qui donne toujours le même médicament, une sorte de pastille sucrée que les gens lui demandent même s'ils ne souffrent de rien. Ça fait toujours un peu de sucre sur les papilles. Qu'on ait mal à la tête, aux jambes ou à l'estomac, il prescrit toujours le même remède. On me racontera que dans les écoles françaises, l'infirmière n'avait pas le droit de donner de vrais médicaments et qu'elle soignait tous les maux au Synthol, un truc qui ne sert également à rien. Il y a quand même des points communs entre la France et le Tibet !

Ma première tentative de fuir a donc tourné court, très court même. Mais ce n'était que la première, et ma résolution ne cesse de s'affirmer par la suite, au fur et à mesure que je comprends que je ne peux rien faire pour lutter contre l'occupant. Les armes sont trop inégales, et elles le sont malheureusement de plus en plus. Je devrai donc m'y reprendre à plusieurs fois pour quitter mon pays bien-aimé, jusqu'au jour où, emporté par le poids de mes convictions et de ma rancune, je débarquerai de l'avion à l'aéroport de Roissy.

Postface

UNE PARISIENNE À POMDO

Depuis que le récit de Tenzin est achevé, je me dis que je dois absolument aller voir ces lieux, rencontrer ces gens dont il m'a parlé. La pyramide, le monastère du Nid des Vautours, le moulin, les trois rivières, l'école, la centrale marmotte, tout cela me trotte dans la tête. Le Tibet? Personne n'y va. Les gens qui s'intéressent aux Tibétains se rendent au Ladakh, au Népal ou à Dharamsala. Je ne connais qu'une personne qui y soit allée, pour Médecins sans frontières. Les autres se contentent de tourner autour. Certains ont même adopté des enfants tibétains émigrés en Inde ou au Népal, sans jamais chercher à connaître leur pays d'origine, encore moins à le leur faire découvrir. Tibet: black-out complet. De toute façon, quand on consulte sur Internet les sites qui traitent du Tibet, la plupart vous disent: n'y allez pas, n'allez pas cautionner ce régime pourri. Bon, peut-être, mais cela rappelle la Grèce du temps des colonels ou l'Espagne de Franco. Faut-il abandonner à leur sort des populations entières sous prétexte qu'elles vivent sous un régime dictatorial?

Moi, en tout cas, je veux y aller. Ce sera peut-être difficile, mais j'irai. Après tout, il n'y a plus l'interdit radical qui pesait du temps d'Alexandra David-Neel, ou de la Révolution culturelle ! Officiellement, la chose est possible. Je m'aperçois bientôt que, en pratique, ce n'est pas si facile que cela. Si je m'intègre à un groupe, je ne pourrai pas me rendre à Pomdo – mon principal objectif. Quitter le groupe pour deux jours ? Impossible, me dit-on. Il existe des itinéraires obligatoires, et il n'est pas question de s'en écarter. Or, je ne vais pas au Tibet pour me traîner de monastère en monastère, mais pour retrouver le pays de Tenzin, les traces de ce passé récent et voir de mes yeux ce qu'il en est aujourd'hui de la vie des campagnes en général, de Pomdo en particulier.

Il me faut donc me débrouiller seule. Après une tentative avortée de départ en petit groupe, Tenzin me met en relation avec un voyagiste qui a longtemps vécu à Katmandou et organise des voyages à la carte. Ça y est, tout est prêt, mon itinéraire personnalisé a été mis au point. Je voyagerai fictivement « en groupe » (cela plaît aux Chinois), mais je serai en fait un groupe à moi toute seule. Cela peut paraître bizarre, mais telle est la définition de mon visa.

Malheureusement, je ne dispose que de peu de temps. Je prévois quinze jours, qui en fait se transformeront en neuf jours pleins au Tibet. D'abord, le voyage est relativement bon marché, mais, en contrepartie, il me faut passer une première nuit à Abu Dhabi (j'y découvre l'horreur du luxe sableux et poussiéreux des rois du pétrole, le septième cercle de l'enfer), puis à Katmandou. Enfin, après ces deux jours d'étrange tourisme d'aéroport, oscillant des hommes en blanc bardés de téléphones portables et d'ordinateurs tout aussi portables à la misère népalaise, aux quinquets éclairant très vaguement de minuscules commerces de trottoir aux abords de mon hôtel, je m'envole pour Lhassa. Presque aussi émue à cette idée qu'Alexandra jadis, je survole l'Everest, m'extasie avec tous les passagers, puis viennent d'étranges paysages qui font penser à la lune, et enfin le reconnaissable lac Yamdrok tso, en forme de scorpion, dont les eaux turquoise forment la limite méridionale du Tibet. Nous allions atterrir vingt minutes plus tard, quand, tout à coup, une nouvelle sinistre nous parvient de la cabine de pilotage : il y a trop de vent à Gongar (l'aéroport de Lhassa, à quatre-vingt-dix kilomètres de la ville). Impossible de se poser, nous passerons la journée et la nuit à Chengdu, en Chine intérieure.

Les passagers dans leur ensemble (pour la plupart des sportifs canadiens, australiens ou anglais qui s'apprêtent à arpenter le Tibet à pied ou à vélo pour deux ou trois semaines) sont désespérés. Mais peut-être personne autant que moi, qui suis seule et n'ai qu'une idée en tête : gagner du temps.

L'après-midi se passe en négociations avec les tenanciers du grand hôtel de Chengdu, qui ont un mal fou à résorber cette masse de clients inattendue. C'est une immense bâtisse et, après trois heures de queue, chacun se voit finalement attribuer un lit, parfois à cent mètres de l'entrée, par des préposés harassés, débordés, impuissants et monolingues ou presque. Les récriminations des plus tenaces, tendant à obtenir des chambres individuelles, doivent plier devant la nécessité de dormir quelque part.

Personne n'ayant envie de visiter Chengdu (nous avons assez vu de barres de béton au cours du trajet de l'aéroport à l'hôtel), le dîner est un moment de détente et de discussion appréciable. À ma table, trois Gallois dépêchés par une chaîne de télévision gaélique pour filmer le déroulement d'un pèlerinage au mont Kailash, la montagne sacrée de tout le monde bouddhiste. Petit monde ! Le mont Kailash à la télé gaélique! Combien de spectateurs pour ce documentaire qui s'annonce pourtant sympathique?

Nous nous couchons sans trop d'espoir. Pourtant, comme on nous l'avait affirmé, à quatre heures une Chinoise relativement affable vient nous dire qu'il est temps de nous lever, l'avion de Lhassa décollant à six heures. Bagages, traversée de kilomètres de couloirs, embarquement dans le car, puis enfin dans l'avion. Nouveau parcours au-dessus des montagnes du Kham, la patrie des fondateurs du royaume tibétain, le long du Yarlung Tsampo, le grand fleuve du sud qui devient Brahmapoutre en Inde.

Franchis les nuages, enfin, la descente sur Lhassa, et l'accueil de sympathiques têtes tibétaines: Benpa, mon vrai guide, Norbu, le jeune chauffeur, joyeux luron, et la jeune guide officielle.

L'aventure commence, et voilà ce que j'ai écrit, par une fin d'après-midi un peu mélancolique... après quelques jours au Tibet.

*

Je m'apprêtais à rédiger le récit de ma rencontre avec le pays de Tenzin, et avec sa famille que je viens de quitter dans le petit village de Pomdo, qui ressemble à tous les autres villages du Tibet avec ses murs de pierre entourant la maison, les annexes et la cour, ses portes d'entrée décorées d'une lune, d'un soleil et d'une svastika. Mais voilà que le jeune frère de Tenzin, Tenzin bis, dix-sept ans, réplique presque exacte du Tenzin que j'ai connu il y a quelque douze ans, vient me demander mes lumières pour rédiger une lettre à son frère. Pour plus de clarté, nous l'appellerons désormais Gongyal, son autre nom. Il est « étudiant » en anglais, et vit à Lhassa.

Je suis pour le moment à Damxung, mons-
trueux chantier, la vraie « ville frontière » du
Far West, ville-rue au long de laquelle défilent
pêle-mêle camions, motos rutilantes de style
américain, pauvres paysans chargés de colis
attachés par une corde leur barrant le buste,
enfants misérables vêtus de choubas *loque-*
teuses. Des deux côtés de la route, s'alignent des
bâtiments de béton aux façades recouvertes de
publicités hideuses, où dominent le rose, le
rouge et le bleu, où les inscriptions entièrement
en chinois ignorent le tibétain. Cet univers déjà
hostile est couvert d'une épaisse couche de pous-
sière soulevée tant par les camions que par le
vent quasi permanent qui balaye la vallée.

Damxung se trouve à cent kilomètres au nord de
Lhassa, à égale distance de Pomdo et du lac Namtso.
À l'est, près de Pomdo, commence la merveilleuse
vallée de Reting où serpente mollement une rivière
bleu turquoise coupée d'innombrables îlots de sable,
où paissent yacks et moutons. Le soir, le sommet des
montagnes est si vivement éclairé que le fond de la
vallée reste clair très longtemps après la disparition du
soleil. Au bout de la vallée, le monastère de Reting,
chargé d'histoire et détruit comme tant d'autres par les
gardes rouges, est planté à flanc de montagne au
milieu d'une forêt de genévriers poussée là comme
par miracle, issue, dit-on, de la chevelure d'Atisha,
fondateur du monastère au XIᵉ siècle. À ses pieds, des
cultivateurs dirigent le soc de la charrue tirée par des
yacks aux cornes ornées de franges rouges, comme
celles que portent les nomades. Le labourage se fait
en cercle. Ici, les champs sont ronds, comme les
mandalas et comme la frimousse des enfants. Dans la

lumière rasante du matin, près de la rivière, dans l'ombre légère des arbres, le spectacle est enchanteur. À l'ouest, c'est le lac Namtso, merveilleux lac salé, mer infinie aux rives peuplées de nomades, dont les tentes noires en poils de yack voisinent avec les yacks tout aussi noirs, balisant le paysage dominé par des montagnes qui culminent à plus de sept mille mètres.

Pourquoi choisir ce lieu pour point de départ de ma brève mise au point, ou plutôt de l'actualisation du récit que m'a conté Tenzin ? Parce qu'il me paraît symbolique du nouveau tournant qu'a pris la sinisation du Tibet, le fameux « génocide culturel » dont parle le dalaï-lama (nom interdit et souvent abrégé, pour ne pas être entendu par une oreille qui traîne, en « D. L. »). Aujourd'hui, le chaos laissé par la Révolution culturelle et les durs traitements infligés aux Tibétains des campagnes s'ordonnent et s'apaisent peu à peu, mais si les moines sont de retour dans leurs monastères, si la vie rurale a repris son cours d'antan, la corvée due aux « nobles » en moins, on sent bien que tout cela ne durera pas très longtemps. Ce « tout cela », d'ailleurs, que recouvre-t-il ? Que penser de ces villages revenus au Moyen Âge, des quelques heures d'électricité attribuées par jour à chaque foyer, des anciens propriétaires, appauvris par Mao, qui se retrouvent enrichis (de quelques dizaines de yacks) et se font construire des maisons neuves en tous points semblables aux anciennes, d'où tout confort est toujours absent ? Comment accepter la présence du rouleau compresseur chinois, du mandarin omniprésent, affiché en énormes caractères sur les publicités tapageuses, le tibétain apparaissant rarement, tout en bas, en minuscules caractères ? Que dire du massacre architectural de Lhassa, où ne subsiste plus qu'un minuscule carré de bâtiments traditionnels, pourtant si beaux avec leurs murs blancs percés de fenêtres encadrées d'un trapèze noir et de poutres décorées ? Et de cette vilaine place dallée de gris, réduction de Tian'anmen, juste en face du Potala ?

On pense à divers types de colonisation, à celle de l'Amérique latine, bien sûr, où peine à survivre un semblant d'indianité, mais aussi, en France, au mépris de certains particularismes, comme en Bretagne, où la langue bretonne fut si longtemps interdite dans les écoles. Pour situer les relations entre Chinois et Tibétains, on peut imaginer les regards de nobles rendant visite à des cousins éloignés de Bretagne au XIXe siècle. Mais en plus, les Chinois n'ont pas de religion à proprement parler. L'influence de Bouddha est mineure à côté de celle de Confucius, qui ne leur a appris à cultiver que les ancêtres et la fonction publique. Lors de l'invasion, cet étalage de piété a dû leur paraître bien étrange et bien stérile.

Comment accepter que dans le plus grand magasin de Lhassa, Lhassa Department Store, les vendeuses ne parlent que le chinois ? Je demande où sont les toilettes en tibétain, à l'aide de mon guide Lonely Planet, et personne dans le rayon ne comprend, ni à l'oral, ni à l'écrit. Il faut aller chercher une vendeuse tibétaine à l'autre bout du magasin pour que le mystérieux message soit enfin déchiffré. Les Chinois présents au Tibet ne parlent pas le tibétain, et les Tibétains ne peuvent rien faire de leur vie (sauf végéter dans la campagne) s'ils ne parlent pas le mandarin. De toute façon, tout le commerce « utile » (c'est-à-dire non religieux) ou presque est entre les mains des Chinois, de même que tous les bâtiments officiels, les monuments commémoratifs (les yacks en bronze du quarantième anniversaire de la « libération », l'informe monument, face au Potala, du cinquantième anniversaire...) et – horreur

221

des horreurs – les villes chinoises qui étalent sur des kilomètres leurs longues rangées de barres de béton.

Benpa, mon jeune guide, m'a raconté cette histoire :

Quatre types sont réunis dans un bistrot, un Américain, un Japonais, un Chinois et un Tibétain. L'Américain allume un gros cigare, en tire trois bouffées et le jette par la fenêtre.

— Comment, mais vous l'avez à peine commencé ! s'écrie le Chinois.

— Mais nous avons chez nous les meilleurs cigares du monde, et autant que nous en voulons !

Le Japonais, qui écoutait les informations sur son transistor, éteint son poste une fois les infos terminées, puis le jette par la fenêtre :

— Comment, mais ce poste vous a à peine servi, et vous vous en débarrassez ?

— Mais nous en fabriquons des millions, il faut bien faire marcher le commerce !

Tout à coup, le Tibétain se lève, attrape le Chinois par la peau du coup et le jette par la fenêtre. Sans attendre qu'on lui pose la question, il explique :

— Nous, nous manquons de tout chez nous, c'est ça que nous avons en excédent !

Mes enfants me disent que cette blague est connue dans le monde entier et se raconte parfois dans un but raciste à l'égard de populations immigrées. Peut-être, mais dans le contexte du Tibet elle m'a paru particulièrement opportune. Autant en rire...

Comment accepter le regard méprisant des riches Chinois sur les Tibétains ? Sur la terrasse d'un restaurant dominant le Barkhor, le chemin qui entoure le monastère le plus sacré du Tibet, le Jokhang de Lhassa, deux jeunes Han dînent dans la fraîcheur du soir. Elle, poupée frisée, teint de lys, ordinateur portable sur la table. Lui, petit, les cheveux en brosse, costume de lin. Elle renverse son verre sur la table. Il se lève et court jusqu'à l'escalier pour appeler au secours. Cinq minutes plus tard, personne en vue. Il se relève et va à nouveau hurler des imprécations dans l'escalier. Peu après, d'un pas nonchalant, arrive une jeune Tibétaine qui jette un regard circulaire sur la terrasse, et rencontre le mien au passage. Nous nous sourions, complices. Elle ne voit pas, ou fait semblant de ne pas voir, le lieu où s'est joué le drame et redescend aussi nonchalamment qu'elle était montée. Pendant ce temps, le Chinois, penché par-dessus la balustrade, son appareil photo à bout de bras tendu, photographie les vieilles, les éclopés et les prosternés qui progressent lentement au long du saint pèlerinage.

Chotil ne veut pas parler de la période noire. Il a soixante-dix ans et, trop heureux de ne plus entendre les haut-parleurs du Parti claironner le Soleil rouge dans l'air du matin, il préfère me vanter ses bottes traditionnelles en feutre et cuir de yack, cousues de ses propres mains. Mais ses petits-enfants traînent toujours, sales et déguenillés, dans la maison obscure et privée d'eau courante, apeurés et sauvages. Les femmes de Pomdo continuent de remonter sur leur dos l'eau puisée à la rivière, et le vieux moulin communal à *tsampa*, au bord d'un ruisseau, est toujours en activité. La « centrale marmotte », elle, a vécu, même si ses restes sont toujours visibles, et un barrage permet aux heureux habitants d'avoir l'électricité de 17 heures à 1 heure du matin.

Oui, Chotil et Ama-la ont eu une vie agitée, mais agitée en surface, et au fond rien n'a changé. On a peine à imaginer, en se promenant dans les rues de Pomdo, derrière le visage ouvert de ces sexagénaires, les fanatiques du maoïsme qui sévissaient à Pomdo du temps où Tenzin y vivait.

> *Sans que je m'en aperçoive, le temps d'écrire ces lignes, une trentaine de camions militaires sont venus se garer en face de ma guesthouse, sur la place déserte il y a une heure, ajoutant leur charme vert-de-gris au paysage de poussière. Au loin, des pelleteuses s'agitent tandis que, de l'autre côté de la « ville », des yacks paissent encore au bord de la rivière.*

Oui, on a bien l'impression que si, dans les campagnes, les conquérants ont lâché prise, c'est pour s'épargner une dépense d'énergie somme toute inutile. Le culte de Mao n'est plus une cause qui mérite tant d'efforts. Autant se consacrer totalement à celui du Veau d'or. Autant laisser les paysans pourvoir à leur survie. La civilisation à la Han, c'est-à-dire la civilisation mondiale dans son acception la plus agressivement commerciale, la plus vulgaire, la plus laide et la plus inhumaine, les aura bientôt rattrapés. Peut-être même les Chinois réalisent-ils qu'ils ont fait quelques erreurs, sans parler de la Révolution culturelle et du Grand Bond en avant, responsables de millions de morts. Peut-être la construction de villes comme Chengdu, aux marges de la Chine, au milieu de rien, où sont venus, selon le tropisme bien connu, s'entasser des milliers de pauvres gens, abrités dans d'immenses baraques longilignes de béton gris, au milieu d'un paysage gris, séparées par d'étroites ruelles grises, boueuses et fétides, alors que la place ne manque pas, les a-t-elle fait réfléchir.

Pomdo, Poindo, Phodo, Pondho, Podo, jamais je n'ai vu deux fois la même orthographe sur les rares cartes ou dans l'un des rares livres qui mentionnent le village. Du reste, la seule raison pour laquelle il a l'honneur d'y figurer est qu'il se situe au carrefour de deux routes, celle qui vient de Lhassa et celle qui relie Damxung (le Far West) à Reting (la Piété), et au confluent de trois cours d'eau, la rivière Pa de la vallée du Tigre, la rivière de la Déesse et celle de Reting. C'est d'ailleurs aussi cette situation de carrefour qui nous vaut d'être accueillis à l'entrée par une rutilante station-service Petro China, dont le bandeau rouge vif évoque à la fois la Chine et la modernité.

Le cadre du village est magnifique, entre ces trois rivières et les montagnes, dont cette énorme pyramide qui le domine sans l'écraser grâce à sa forme parfaite. Le plan que m'avait dessiné Tenzin ne m'a pas été d'un grand secours, car le dédale des ruelles est en fait inextricable et, contrairement à ce que son dessin m'avait laissé penser, le village s'étend non sur la colline mais sur le plat, au pied de la falaise. Toutes les maisons sont encloses, avec leurs cours et leurs dépendances, entre de hauts murs recouverts de fagots qui attendent l'hiver. Attendant aussi l'hiver, les bouses de yack sèchent, collées aux murs ensoleillés. Les bouses de cet animal tout dévoué à l'homme constituent le seul combustible utilisé dans les campagnes. À Pomdo, elles sont plutôt conservées à l'intérieur des murs, tandis que dans les villages du sud, elles constituent un véritable décor de façade. Une fois sèches, les villageois les rangent sur le haut des murs, en biais, comme les livres d'une bibliothèque.

Veaux, vaches, enfants, femmes porteuses d'eau ou de lourdes hottes arpentent les ruelles de Pomdo. Le soir, hommes et femmes rentrent des champs le soc sur l'épaule, le mode de culture étant resté inchangé depuis des siècles. Mai est le temps des labours et des premiers semis. Curieusement, le soleil est si brûlant qu'on a l'impression d'être en plein été, alors que montagnes et vallées sont encore entièrement brunes, attendant pour verdir les pluies de juin et juillet.

À Lhassa, j'ai fait connaissance d'Ama-la, qui était venue passer quelques jours chez sa fille. Très émue, j'ai eu envie de l'embrasser, mais les regards des uns et des autres m'ont vite fait comprendre que cela ne se faisait pas. Nous nous sommes donc étreintes, et Ama-la a laissé échapper une grosse larme. Le même jour, j'ai fait la connaissance de Chongyal, qui étudie à Lhassa et loge chez sa sœur Phelma Chocdon, étudiante en informatique, très citadine dans son tailleur bleu marine, mais terriblement intimidée. Tenzin Sopa, frère cadet de notre Tenzin parisien, vingt-huit ans, s'était joint à nous. Celui-ci, un peu serré dans un élégant costume de ville, est moine (ou l'a été, puisqu'il est maintenant marié), pratique la médecine traditionnelle et peint des *thangkas*. Il habite une maison claire et joliment décorée à la tibétaine, au nord de la ville, près du monastère de Sera. Très volubile, il ne parle hélas que le tibétain et mon guide « interprète » n'est guère efficace. Ama-la et Chongyal se joindront à nous pour rentrer à Pomdo.

Il me faut dire un mot de mon guide, qui a le même âge que Tenzin et a lui aussi fui le Tibet par la montagne à quinze ans avec un groupe de jeunes. Après avoir passé dix ans en Inde, il a choisi de revenir au pays pour s'occuper de son vieux père et profiter de ses connaissances en anglais pour travailler comme guide. Hélas, il n'avait pas prévu que les jeunes dans son cas seraient soumis à un interdit de travail, en tout cas comme guides amenés à rencontrer des étrangers. Aussi, l'organisme qui a géré mon voyage a-t-il dû me donner une autre guide – officielle celle-là –, une jeune fille non anglophone. Elle était là pour la couverture, et Benpa pour la compétence.

Ama-la, soixante-sept ans, est montée dans le 4×4 avec de nombreux colis et nous avons fait route ensemble. La ville ne doit guère l'impressionner car elle arbore à Lhassa, comme toutes les paysannes qui viennent arpenter le Barkhor en se prosternant ou en faisant tourner leur moulin à prières, la même robe noire couverte de taches qu'elle porte sans doute toute l'année à Pomdo. Souriante et très vive, elle semble apprécier le voyage et participe abondamment à la conversation de mes compagnons de route.

Arrivés à Pomdo, elle nous demande de la déposer avec ses paquets devant la nouvelle maison qu'elle et son mari se sont fait construire à l'entrée du village. Puis nous nous rendons à l'ancienne, qu'ils habitent encore, guidés par Chongyal. Une fois franchie une porte au loquet complexe, nous voilà dans une cour où patientent quelques bêtes : trois petites vaches, un jeune veau et quelques chèvres. Dans un coin, tassé sur un bout de tapis, un vieil homme prend le soleil. C'est Chotil, le vaillant vétérinaire, le « professeur » de jadis, le lettré du village. Il a maintenant soixante-dix ans, et une récente opération de la cataracte a semé le trouble dans son âme. Il dit ne plus être bien vaillant, mais quand même, une fois rentré avec nous dans la petite maison obscure, aujourd'hui remplie de jolis placards, de coffres, de tables en bois peint et de *thangkas* – « Non, tout cela n'était pas là du temps de Tenzin, mais maintenant nous sommes riches, trente yacks, pensez donc ! » –, Chotil a l'air tout content d'être soumis à un flot de questions.

Les trente camions de tout à l'heure sont maintenant une centaine. Ils doivent être silen-

*cieux comme des Sioux pour que je ne les aie
pas entendus venir.*

Mais laissons la parole à Chotil.

« L'oracle ? Il est mort et, non, il n'a pas été remplacé. En fait, on peut très bien se passer d'oracle
dans le village. » Chotil est ravi de confirmer tout ce
que m'a raconté Tenzin, mais ni lui ni aucun autre
des membres de la famille n'a grand-chose à ajouter.
Soit Tenzin a une excellente mémoire, soit le respect
pour l'absent est trop grand pour ajouter quoi que ce
soit à son récit. Malgré les souvenirs parfois houleux
qu'a évoqués Tenzin de ses relations avec son père,
celui-ci ne se souvient que d'un être courageux, qui
avait la force de dire non et de s'opposer aux enfants
de fonctionnaires – un être passionné, allant jusqu'au
bout de sa volonté. Peut-être même regrette-t-il, pour
sa part, d'avoir été si soumis, d'avoir choisi de se
tenir tranquille face à l'oppresseur. Il me dit d'ailleurs
qu'en ce temps-là tout le monde faisait semblant d'accepter le joug en souriant, mais qu'on avait le cœur
gros. À la mort de Mao, à l'inverse, il avait fallu
feindre la tristesse, alors que chacun se réjouissait en
son for intérieur.

Je lui demande des explications sur la fameuse
lance découverte par Nyiko et Tenzin dans le jardin,
qui les a tant intrigués. Il me répond que, quelques
années plus tard, il l'a déterrée pour la porter au petit
sanctuaire de Gungara, la divinité protectrice locale,
tout en haut de la falaise. Les dieux protecteurs du
Tibet ont souvent un aspect farouche et sont armés
pour défendre le pauvre peuple. Cette lance pourrait
certainement lui être utile.

Il me raconte, tout fier, comment un jour il avait dû
emmener le petit Tenzin, alors âgé de trois ans et qui

s'appelait Akönpa, à l'hôpital de Lhassa. Il y était resté dix jours et avait trimbalé le petit sur son dos à travers toute la ville. Tenzin n'a évidemment aucun souvenir de cette équipée, mais, son évasion ratée ayant échoué, il ne se souvient que d'un voyage, plutôt dramatique, à la capitale, celui raconté dans le *Moine rebelle*[1], au cours duquel il a vécu en direct la mort de son petit frère, dans les bras de sa mère impuissante.

Chotil est certainement un homme fier, et il a dû souffrir d'autant plus des humiliations infligées par les fonctionnaires du Parti. Mais aujourd'hui, il a le sourire et les yeux pétillants. Les ennuis sont derrière lui.

Ama-la :

Je lui dis ma surprise quand Tenzin me parle de la fête du 1er août, alors que tous les livres sur le Tibet mentionnent une fête des moissons, en septembre. En fait, à Pomdo et dans la région, les gens mettent la charrue avant les bœufs et se réjouissent avant la récolte. Heureux tempérament ! Ama-la, comme Choto, se livre avec plaisir au jeu que je leur propose : parler pour Tenzin devant la caméra. Bien sûr, le contenu m'échappe, mais d'après mon guide, ils disent à leur fils qu'ils vont bien et qu'il ne doit pas s'inquiéter pour eux.

Quelques kilomètres avant Pomdo, nous avions fait un détour pour aller voir l'aîné des fils, Choto, au monastère de Taglung où il est abbé. Spectacle courant au Tibet que ces murailles en ruine des monastères détruits pendant la Révolution culturelle, à côté desquelles se dressent les nouveaux bâtiments. Celui de Taglung a la particularité d'avoir conservé telles quelles les hautes murailles de la bâtisse ancienne, qui barre la vue de l'actuelle, bien plus modeste. Il est

---

1. *Op. cit.*

vrai que l'ancien abritait quelque cinq mille moines, et qu'ils ne sont plus aujourd'hui que quarante-cinq, Choto compris.

Les moines nous disent que Choto est parti le matin même pour Lhassa. On me parle de lui comme d'un sage, un homme important dans le monastère. J'imagine un homme mûr et sûr de lui dans sa robe rouge, auréolé de prestige. Tant pis, je ne verrai pas toute la famille.

En fait, dans l'ancienne maison, au fond de la pièce qui jouxte celle des parents, un homme sombre, en chapeau de cow-boy, est tapi dans l'ombre. Comme personne ne présente personne, je demande de qui il s'agit. C'est Choto en robe de moine et veste militaire, peu causant. Finalement, il a raté le bus pour Lhassa et s'est arrêté chez ses parents en attendant le lendemain. Comme à la jeune sœur rencontrée à Lhassa, je ne lui tirerai pas une parole.

Curieuses allées et venues dans cette minuscule courette où l'on ne cesse de faire circuler bouts de tapis, sacs et vieux coussins pour que moi et mes sbires y posions nos augustes derrières. Une jeune femme ravissante est là, flanquée d'un bambin de six ou sept ans, crasseux et effaré. J'apprends au bout d'une heure qu'il s'agit d'une fille d'Ama-la et Chotil, Taschi Dolma, le bébé du récit de Tenzin, mariée au village, deux enfants, habitant avec les parents dans ces deux pièces noircies par la suie et surencombrées. Elle n'avait que cinq ans quand Tenzin est parti, mais elle se souvient de lui.

Aurons-nous l'occasion de voir Nyiko, qui lui aussi habite le village avec sa femme et ses trois enfants ? Comme un diable qui jaillit d'une boîte, le voilà qui fait son apparition, sortant de la pièce obscure où se tenait tout à l'heure Choto. Visage animé aux traits rudes, sourire amusé, l'air vif et joyeux. Il a visiblement très envie de parler mais ne sait quoi dire. Alors Chotil lui souffle des paroles rassurantes, à peu près les mêmes que celles qu'il a prononcées tout à l'heure. Tout le monde se laisse allégrement filmer et photographier, et constate ensuite le résultat sur l'écran de l'appareil numérique. Vive le progrès !

Vient ensuite la distribution des cadeaux. Tenzin m'a confié pour son père une paire de lunettes de soleil qu'il commence par regarder avec méfiance mais, une fois enfilées, avec adoration. Le lendemain, quand nous repasserons, il les aura toujours vissées sur le nez. Je pense qu'il a dormi avec.

Pour Ama-la, j'ai apporté un hachoir-mixer, qui devrait lui faciliter la fabrication des *momos*. Mais elle s'éloigne pendant la démonstration – trop technique. Heureusement, il est 18 heures et la fée Électricité est revenue. Choto le silencieux a observé avec attention, et, quand nous cessons la démonstration, il fait marcher la machine, toujours plongé dans ses pensées.

Je demande à Chotil et Ama-la de m'accompagner faire un tour de village pour repérer les différents lieux dont m'a parlé Tenzin. Chotil s'y refuse : après la dernière visite d'amis français de leur fils, la police est venue les embêter. Avant tout, plus de tracasseries !

Mais Ama-la veut à tout prix me montrer son veau de quelques jours, un bébé yack qui se trouve dans la cour avec sa mère, une petite *dri* toute fine et jolie. Ama-la me décrit minutieusement le paysage qui nous entoure par-dessus les murs de pierre : la pyramide, les autels de Yangmara et Gungara, les drapeaux de prières. J'ai beaucoup de mal à lui faire comprendre que j'aimerais qu'elle répète son commentaire pour accompagner mon film. Elle finit par saisir ce que je veux et recommence avec enthousiasme sa description.

Je quitte Pomdo pour le lac Namtso, véritable mer intérieure à cinq mille mètres d'altitude. Ici, le tourisme pointe timidement, femmes et enfants viennent mendier en agitant leurs moulins à prières, mais les campements de nomades sont presque tous flanqués d'un semi-remorque rutilant. Pour moi, excepté quelques émerveillements de touriste, le voyage est terminé. Je suis à la fois ravie, émue et insatisfaite. J'aurais voulu en savoir plus, comprendre davantage. Mais peut-être ai-je tout compris : il n'y a rien à dire. Pour la famille de Tenzin, il est devenu « un Occidental », ce qui me surprend parce que, pour moi, il est toujours tibétain. Et quand ils lui parlent devant la caméra, ils tiennent des propos convenus, prudents et timides. Mais je pense aussi que, s'il en est ainsi, c'est que Tenzin n'appartient plus à leur monde, qu'il les intimide. Ceux de Lhassa, même s'ils portent de beaux costumes et ont laissé la *chouba* au vestiaire, sont encore proches, parlent le même langage, ont les mêmes références qu'eux. Tenzin est trop loin ; et puis, cette manie de leur envoyer des visiteurs étrangers, à eux qui n'ont aucune envie d'étrangers, d'Occident, d'ailleurs…

> *Il y a maintenant quelque cinq cents camions militaires de l'autre côté de la route, rangés en ordre de bataille, comme les soldats de terre cuite de Shi Huangdi à Xian. Le lendemain matin, les soldats font leurs exercices devant les camions, en poussant de temps à autre un cri. Sauvage ou simplement militaire ?*

À la fin de mon séjour tibétain, je me dis que j'aurais aussi bien pu prendre Zhangmu comme exemple de l'horreur du « développement » à la Han. Zhangmu, façade de la Chine, dernière ville du Tibet avant de passer de l'austérité de l'altitude à la touffeur moite des tropiques népalais.

Zhangmu, pire encore que Damxung, cité de l'horreur, de l'insupportable puisqu'on y voit travailler des enfants de cinq ou six ans, harnachés d'une sangle frontale (emprunt au Népal voisin) pour transporter des lots de cinq à six énormes pierres ou des caisses de bois monumentales.

Zhangmu est aussi une ville-rue qui s'étend sur quatre ou cinq kilomètres au flanc d'une falaise vertigineuse que le voyageur longe sur près de cent cinquante kilomètres entre Nyalam (Tibet) et Katmandou (Népal), passant en quelques kilomètres de l'air pur et transparent des hauteurs à la touffeur de la jungle. Presque côte à côte, les deux pays offrent un contraste stupéfiant. En fait, c'est simple : la différence est verticale. Inhabituel, pour le moins.

Mais ne regardons pas la misère népalaise, qui relève d'une autre question, et concentrons-nous sur celle qui nous intéresse. Dans un chaos inextricable, cars, voitures, motos, vélos et surtout camions se frayent un chemin, on ne sait par quel miracle, dans l'étroitesse des passages ouverts à la circulation, encombrés de montagnes de pierre, de sable et d'humains plus ou moins misérables. Des changeurs vous proposent leurs services, sous le nez des militaires et des douaniers. Il existe trois ou quatre postes de contrôle. La crainte se lit sur le visage de mon guide, d'habitude si joyeux. On me fait remplir des papiers sur le SRAS, puis le préposé me colle sur le front une sorte de pistolet, *just to check*. *Just to check* quoi, au juste ? Je ne peux m'empêcher de rire, ce qui n'a pas du tout l'air de plaire à Benpa.

Tas de pierres, tas d'ordures, tas de terre. Dans l'entassement humain, se lit une violence qui tranche avec la douceur tibétaine que l'on vient de quitter. Mais qui sont ces femmes et ces enfants esclaves? Nous sommes en Chine, pays prétendument moral, qui prétend aussi avoir « libéré » les Tibétains de l'esclavage féodal. Où sont donc les beaux uniformes des enfants chinois scolarisés?

Pendant ce temps, là-haut, sur le plateau, les pèlerins ne cessent d'arpenter les *koras*, chemins qui font le tour des monastères, debout, s'arrêtant pour prier en divers points consacrés à diverses divinités, qui toutes demandent à être honorées. Les plus courageux – souvent des vieux – effectuent leur circumambulation en se prosternant. L'opération se déroule en plusieurs étapes : des socques protectrices en bois aux mains, ils claquent les socques protectrices devant la poitrine, puis au-dessus de la tête, et encore devant la poitrine. Ensuite, ils se jettent à terre en effectuant une glissade vers l'avant, les mains protégées par les socques mystiques. Puis, ils se relèvent en ramassant leur corps, appuyés sur les socques, et tout recommence deux pas plus loin. Certains font ainsi le tour du mont Kailash en plusieurs semaines, la montagne sacrée des bouddhistes, lieu de l'origine du monde...

Nanon GARDIN

Table

Remerciements

Depuis que je suis né, je garde toujours présents dans mon cœur ceux qui m'ont donné la vie, mes parents, à qui va naturellement ma gratitude.

Me sont aussi chers ceux qui luttent pour la liberté du Tibet. Je leur exprime ma reconnaissance au nom du peuple tibétain et des gens de mon village.

La vie a voulu que j'aborde comme un aveugle un pays étranger, la France, auquel je ne connaissais rien. J'ai fait confiance à ceux qui ont bien voulu me montrer le chemin, Jean-Léo et Isabelle Gros, auxquels je suis infiniment redevable. Je n'oublierai jamais qu'ils sont allés jusque dans mon village natal, dans la vallée de Pomdo, dans le Tibet central, apporter de mes nouvelles à mes parents que je n'ai pas vus depuis 1987.

Je sais gré de m'avoir accompagné sur un bout de mon chemin à Charles-Antoine de Gastines, Jean Michel Seguin, Anne Seguin, Patrice Monmousseau, Jean-Maurice Belayche, Franck Biancheri, Jeremie Normand, Igor Volevatch, Hubert Paty, Céline Bretel, Marylène Rocher, Marie-Antoinette Chollet, Marcelle Roux, Philippe Esnault, Thomas Fuller, Pierre Court, Salima et Soad Boukourdane, Michelle Deval, Claire Spitzmuller, Olivier Geliot, Christine Baert, Jack Lang,

Jean-Claude Carrière, Lydie Francart, la famille Archirel, Vincent Guzman, Xavier et Joëlle Rolse, Christel Sniter, Jean-Claude Bouquin, Olivier Orban, Caroline Murat, Annie Sabater et, bien entendu, Nanon Gardin qui m'a aidé à rédiger ce livre.

Enfin, je rends un hommage respectueux à Kundun – la Présence – le quatorzième dalaï-lama, qui m'a ordonné moine, a guidé ma vie et sera toujours mon phare et celui du peuple tibétain.

Tenzin Kunchap

Je remercie pour leur chaleureux accueil la famille de Tenzin, ses parents Chotil et Ama-la, ses quatre frères et ses deux sœurs rencontrés à Lhassa et à Pomdo, ainsi que Robert Olorenshaw, sans qui cette aventure tibétaine n'aurait pas eu lieu.

Nanon Gardin

*Cet ouvrage a été composé
par Atlant' Communication
aux Sables d'Olonne (Vendée)*

Impression réalisée sur CAMERON par

BRODARD & TAUPIN

GROUPE CPI

*La Flèche (Sarthe)
en janvier 2005*

pour le compte des Presses du Châtelet

Imprimé en France
N° d'édition : 235 – N° d'impression : 27974
Dépôt légal : février 2005